당신도 관종입니까?
그렇다면 반갑습니다.

지은이 이두희

현재 대기업에서 마케팅 업무를 담당하고 있다. 철저한 유물론자로서 인생에는 정해진 목적이나 의미가 없다는 확고한 믿음을 가지고 있다. 하지만 그렇기 때문에 인생을 '제대로', '의미 있게' 살아야 한다는 역설적인 신념을 가지고 있다.

라이크를
부르는
심
리

저자 서문

먼저 이 책이 세상에 나올 수 있었던 가장 큰 이유와 원동력이었던 제 아내에게 감사의 인사를 전하고 싶습니다. 저는 이 책을 집필하게 된 계기가 되었던 상황을 아직도 뚜렷하게 기억합니다. 2022년 2월의 어느 날 저는 아내와 제 아들과 함께 차를 타고 여행을 가고 있었지요. 제가 여행에서 제일 좋아하는 부분 중의 하나가 사실 차를 타고 이동하는 순간입니다. 왜냐하면 그 시간에 우리가 함께 공유하는 좁은 차 안의 공간은 그 무엇에게도 방해받지 않으며 서로에게 오롯이 집중할 수 있는 환경이기 때문입니다. 긴 장거리 운전을 하는 과정에 우리는 서로에게 집중하며 그동안 집에서 나누지 못했던 심도 깊은 대화를 나누며 서로의 마음을 이해할 수 있습니다. 그리고 우리들의 대화와 그 안의 따뜻한 공기 자체가 저를 즐겁게 해줍니다.

그날도 저는 운전을 하면서 아내와 이것저것 이야기를 하고 있었습니다. 아내와의 대화는 대부분!? 즐겁습니다. 아이의 학교에서 있었던 일(제 아들은 대안학교를 다니고 있습니다), 아이 친구 문제, 제 회사 일, 경제, 국내 정치, 국제 정세, 최신 IT 트렌드 등 아내와 저는 공통의 관심사가 참 많습니다. 아내와의 대화가 깊어지며 흥미진진 해지려 할 때면 늘 방해자가 뒤에서 등장하기 마련입니다. 그렇습니다. 조금만 대화의 수준이 깊어지면 우리들 대화에 끼어들지 못해 안달

이 난 우리 아들이 뜬금없는 주제와 함께 우리들의 대화를 가로막으며 저와 아내의 관심을 차지하기 위해 '관종' 퍼포먼스를 하기 시작합니다. 그날도 예외는 아니었습니다. 우리 아들의 귀여운 '관종' 행위를 구경하며 웃고 떠들다 보니 대화의 주제는 자연스럽게 왜 우리 아들은 이토록 관심을 받고 싶어하지?라는 물음으로 이어졌고 아내와 저는 각자 본인의 생각들을 말하기 시작했습니다.

사실 저는 예전부터 '관종' 행위와 생물학적인 메커니즘에 대해 어느 정도 완결된 형태의 생각을 가지고 있었습니다. 그래서 '관종' 행위를 하는 이유에 대해 생물학적인 관점을 토대로 이야기를 풀어나가기 시작했지요. 그런데 그거 아시나요? 편안한 분위기에서 기분 좋게 이야기를 하다 보면 머릿속에서 이야기의 기승전결이 스스로 자연스럽게 꿰맞추어 짐과 동시에 새로운 아이디어가 떠오릅니다. 그리고 그 새로운 아이디어는 다시 앞부분의 논리 전개와 자연스럽게 연결고리를 찾아가면서 다시 한번 일관성을 획득하게 되고, 다시 또 새로운 아이디어가 떠오르게 되면 앞의 과정을 반복하며 이야기의 스케일이 커지면서 논리는 더욱 단단해지게 됩니다. 적어도 그날, 차 안에서의 제 이야기가 그랬던 것 같습니다.

그렇게 자연스럽게 탄생하게 된 '관종'에 대한 제 설명은 아내에게 꽤나 감명 깊게 다가갔던 것 같습니다. 제 이야기를 듣고 약간 흥분한 아내는 이 멋진 생각을 자기만 알고 있을 수는 없다며 저에게 이 내용을 당장 책으로 쓸 것을 제안했습니다. 갑자기 일이 커지게 될 기미가 보이자 저는 내심 몹시 당황했지만 애써 침착한 척 가장하며 여러가지 핑계를 대면서 슬슬 말머리를 돌리기 시작했습니다. 하지만 한번 '삘'이 꽂혀 버린 제 아내는 저를 쉽게 도망가게 놔두지 않았습니다. 몇 주간을 고민하다가 결국 펜을 들기로 결심하게 되었고 아내와 제 아들에게 '나는 이제 책을 쓰겠노라'라고 엄숙한 선포를 하였습니다. 이런 공식적인 선포를 통해서 집필 과정 중에 자칫 게을러지거나 흐트러질 수 있는 스스로의 자세를 차단하기 위함이었지요.

제가 귀찮음을 무릅쓰고 집필을 결심하게 된 계기는 다양했습니다. 긴 시간 동안 나름 열심히 배움을 추구하며 살아온 저였기에 스스로의 배움을 중간에 한 번 정리해 보고자 하는 욕구가 있었습니다. 배움에 있어서는 정보의 입력도 중요하지만 가지고 있는 정보를 내부적으로 처리한 후 출력을 하는 과정도 매우 중요하니까요. 배움의 길을 더 닦아 나가기 위해서라도 지금까지의 배움을 정리해 보고 싶었고 그러기 위해서는 책을 쓰는 것이 필요하다고 생각한 것입니다.

집필을 결심하게 된 또 다른 계기는 건강한 사회를 만들고자 하는 약간의 우환(憂患)의식과 사회적인 사명감이었습니다. 그리고 그것보다 훨씬 더 큰 개인적인 사심(私心)도 있었습니다. 저는 제 아들이 행복하게 살았으면 참으로 좋겠다는 사심을 가지고 있습니다. 그런데 행복은 개인의 의지와 선택의 영역이기도 하지만 또 많은 부분은 환경과 사회 등 구조적인 영역에서 결정되기도 합니다. 전쟁과 기아의 시기보다는 평화와 번영의 시기에 행복한 사람이 더 많은 것처럼요. 저는 이 사회가 조금 더 건강해지고 평화로워져서 제 아들이 행복한 삶을 살아갈 수 있는데 도움이 되기를 바라는 심정으로 이 책을 썼습니다. '관종'이라는 사회적인 현상을 다양한 차원에서 분석하며 관심을 갈구하는 인간의 욕구를 건강하게 채워줄 수 있는 방법을 찾고 이를 통하여 건강한 사회를 만드는 데 기여하고 싶었습니다.

건강한 사회를 만들고 그렇게 만들어진 사회가 계속적으로 발전해 나가기 위해서는 우리의 아이들이 건강하고 행복하게 자라날 수 있는 환경이 만들어져야 합니다. 아이들이 건강하게 자라나기 위해서는 부모님들의 건강하고 올바른 육아 방식과 교육이 있어야 하구요. 결국 문명의 발전과 계승은 육아와 교육이라는 수단을 통해서 전승되는 것입니다. 오늘날의 대한민국의 문명 수준을 진단해 보고자 한다면 육아와 교육이라는 단면을 통해서 들여다보는 것이 가장 정확한 진단의 방법일 것입니다. 그런데 오늘날 대한민국의 육아와 교육 시스템에 여러분들은 어떤 평가를 내리시겠습니까?

주위에 보이는 애정과 관심을 갈구하는 수많은 '금쪽이'들, 연간 100조 원에 달하는 예산을 쓰면서도 학생, 학부모, 교사 등 교육 관련 당사자 어느 누구도 만족시키지 못하며 속절없이 무너져 가는 공교육 시스템. 그리고 0.78명(22년 기준)이라는 절망적인 합계 출산율. 냉정하지만 이것이 지금의 현실입니다. 합계 출산율 0.78명이라는 숫자는 현재의 육아와 교육 시스템, 그리고 경제상황 하에서는 '아이를 행복하게 키울 희망이 없다.'라는 젊은이들의 소리 없는 외침입니다.

정부는 저출산에 대응하기 위해, 그리고 공교육 붕괴를 막기 위해 여러 행정 기구와 위원회를 발족시키고 천문학적인 예산을 쏟아부어

정책을 양산하지만 대부분의 정책이 문제의 본질을 건드리지 못하고 있습니다. 이는 단순히 예산을 쏟아부어서 아이 한 명 낳을 때 얼마를 주고, 대입전형을 바꾸고 하는 임시방편으로 해결될 성질의 문제가 아닙니다. 출산, 육아, 교육에 대한 정책은 보건복지부, 여성가족부 혹은 교육부 등 주무 부처만의 분절된 문제도 아니고 대통령 임기 5년 안에 해결할 수 있는 단기 과제도 아닙니다. 국가의 본질적인 프레임을 건드려야 하는 문제이기에 범정부, 범정권 차원의 핵심적인 장기 프로젝트가 되어야 합니다. 말 그대로 국가의 근간을 설정하는 백년대계(百年大計)가 되어야 하지요. 하지만 현재의 행정 시스템 및 정치 지형상 이러한 범정권적 장기 프로젝트가 순탄하게 진행될 가능성은 높지 않아 보입니다. 실제로 '저출산고령사회위원회'와 일선 교육 현장에서는 아무리 예산을 쏟아부어도 백약이 무효하다라는 패배의식이 팽배해 있습니다.

이러한 냉정한 현실 앞에서 저는 저와 제 가족을 위하여, 그리고 우리 모두를 위하여 육아와 교육에 대한 새로운 제안을 통해 건강한 사회를 만드는 데 기여하고 싶었습니다. 문명의 발전을 이루기 위해서는 육아와 교육시스템이 가장 단단한 하부구조가 되어 발전의 발판을 마련해주어야 합니다. 이 기초 공사 없이는 건강한 사회와 문명의 발전을 기대하기 힘듭니다. 육아와 교육의 문제를 정부의 정책이 해결해 주지 못한다고 그저 나라를 원망하며 멍하니 앉아만 있을 수는 없습니다. 이건 우리 아이들의 미래에 대한 문제입니다. 국가가 해결해 주지 못한다면 우리 부모님들이 직접 아이들의 건강한 미래를 위해 발 벗고 나설 때입니다.

본문에서 자세히 다루겠지만 저는 우선 육아와 교육을 대하는 우리 부모님들의 자세부터 달라졌으면 합니다. 육아와 교육의 1차적인 책임을 외부 전문가에게 위임하지 말아 주셨으면 합니다. 오은영 박사가 내 아이의 육아를 대신 맡아주지 않으며 어린이집 선생님이 내 아이의 몸과 마음의 발달을 책임져 주지 않습니다. 그리고 교육청의 높다란 의자에 앉은 장학사가 내 아이의 학업성취를 책임져 주지 않습니다. 육아와 교육의 1차적인 책임은 각 가정의 부모님에게 있다는 점을 우선 명심해 주셨으면 합니다. 이에 대한 자세한 방법론은 책의 후반부에 자세히 기술해 두었습니다.

무언가 한번 결심하면 추진력 있게 밀고 나가는 성격인 데다가, 이 책의 중심적인 아이디어는 이미 머릿속에 확립되어 있었기에 책의 초고는 2개월 만에 완성이 되었습니다. 다만 개인적인 사정상 출판을 미루게 되었고 그렇게 원고가 컴퓨터 하드 안에 1년 넘게 잠들어 있다가 이제 세상에 나오게 되었습니다. 이 자리를 빌려 책의 출간을 도와주신 페스트북 임직원 모두에게 감사의 인사를 전합니다. 그리고 이 책이 완성되는데 각각 30% 이상의 지분을 갖고 계신 사랑하는 제 아내와 아들에게 더 없는 감사와 사랑을 전합니다. 그리고 나머지 30%의 공헌을 한 스스로에게도 고맙다는 셀프 칭찬을 전달합니다.

건강한 사회라는 높은 산이 있습니다. 그 산은 넓은 산맥을 이루고 있기에 그 산의 정상까지 이르는 데에는 수없이 많은 코스와 방법이 있습니다. 저는 그 중 '라이크를 부르고 싶어하는 인간의 심리', 즉 관심을 갈구하는 인간의 행위를 분석함으로써 건강한 사회라고 하는 산을 올라가고자 하였습니다. 이 산을 올라가는 방식과 코스는 각기 다르더라도 결국 정상에 올라와서 아래를 내려다보면 모든 길이 하나로 통한다는 것을 느끼게 될 것 같습니다. 나중에 또다시 가족 여행을 가는 차 안에서 즐거운 대화를 하다가 아내의 '삘'을 조장하는 저의 새로운 아이디어가 태어나게 된다면 그때는 '관종'이 아닌 다른 코스의 등반로를 통해 다시 한번 여러분을 산의 정상으로 초대하겠습니다.

감사합니다.

CONTENTS

들어가는 글 : 이 세상 모든 관종들에게   14

생물학적 요인   18

생물학적 요인과 다른 요인들과의 관계   25

역선택의 문제   35

정서적 요인 : 관계 맺기의 중요성   47

관계 맺기 첫번째 : 협업 혹은 분열   55
관계 맺기 두번째 : 놀이를 하고 싶어하는 인간   62
육아에 있어서 놀이의 중요성   78

경제적인 요인   85

유토피아 혹은 디스토피아   113

건강한 사회를 꿈꾸며   134

기본적인 의식주 해결이 가능할 것   139

소수 집단의 효용이 다수 집단의 비효용을 초과하지 않을 것   140

효용 역진의 예방   143

세번째 과정에 대한 면밀하고 공정한 검토를 할 것   146

효용의 총합이 생태계 비효용의 총합을 초과하지 말 것   150

인성의 파괴를 막을 것   158

건강한 사회를 만들기 위해   160

Digital Distancing (디지털과의 거리두기)   163

이 땅의 모든 부모님들에게   172

    * 문명과 교육   172

    * 육아와 교육에 대해 부모님께 드리는 10대 제언   187

맺는 말 : 관종의 사회학   212

들어가는 글 : 이 세상 모든 관종들에게

우리는 살면서 참으로 많은 사람들을 마주칩니다. 그 중 꽤 특별한 유형의 사람들이 있지요. 남들의 시선을 유난히 의식하고, 타인의 관심과 인정에 절박하게 매달리는 사람들 말입니다. 우리는 이런 사람들을 흔히 '관종'(관심 종자의 약자)이라 부릅니다. 그리고 이 '관종'이라는 표현 자체에는 멸시와 혐오감이 어느 정도 포함되어 있습니다. 즉, 일반적으로 우리는 이러한 유형의 사람들에 대한 비호감을 어느 정도 공통적으로 가지고 있다고 생각합니다.

제가 이 책에서 여러분들과 함께 생각해 보고 싶은 내용이 바로 이 '관종'이라고 불리는 특별한 유형의 사람들이 상징하는 우리 시대의 사회적 특징입니다. 과연 이들은 우리가 생각하듯 특정한 결핍이 있는 소수의 문제아들일까요? 그래서 이 '관종'들은 정상 범주를 벗어나 사회의 질서와 안정을 해치는 이들일까요?

우리가 매순간 접하는 모바일 뉴스와 SNS에서는 '관종'이라 불리는 사람들이 행하는 엽기적이고 눈살 찌푸려지는 이야기들을 쉽게 찾아볼 수 있습니다. 왜 이렇게 많은 '관종'스런 행동들이 매일 같이 벌어지는 걸까요? 그리고 왜 이런 컨텐츠들과 뉴스 기사들은 이렇게도 꾸준히 온라인 상으로 유통이 되는 것일까요? 그리고 우리들은 왜 이런 소식들을 접할 때 욕하면서도 계속 보고 있는 것일까요?

‘관종’에 대한 사회학적인 분석을 할 때 우리는 ‘관종’스러운 행동을 하는 그 사람 자체만을 분리해서 생각할 것이 아니라 그것을 둘러싸고 있는 환경과 그 행동을 유발하는 사회적 구조에 대해서도 관찰을 해야 합니다. 온라인 상의 ‘관종’ 컨텐츠들을 살펴보더라도 이는 단순히 그 컨텐츠의 생산자, 즉 ‘관종’들만의 문제가 아닙니다. 이미 ‘관종’ 행위는 하나의 산업이 되어 있습니다. 여느 산업이 그렇듯 이 산업에도 이미 다양한 공급 사슬과 생태계가 형성되어 있습니다. 즉, 공급자(우리가 ‘관종’이라고 일컫는 사람들)와 유통업자(포털사이트, 유튜브, SNS 등 각종 온라인 플랫폼, 신문과 방송 등 전통 미디어 채널), 그것을 매순간 소비하는 우리 소비자들, 그리고 이 생태계가 굴러갈 수 있도록 끝없이 기름을 쳐주는 광고주들(기업과 광고업자들)로 말이지요.

요즘의 MZ 세대들에게는 공감이 잘 가지 않겠지만 예전에는 먹을 것을 포함해서 모든 물자가 참으로 귀하던 시절이 있었습니다. 즉 공급 자체가 부족하였기에 무엇을 생산하던 그것에 대한 시장의 수요는 늘 존재해 왔습니다. 그래서 과거의 전통 경제학은 ‘공급이 있는 곳에 수요가 있다.’라고 가르쳤습니다. 이후 시간이 흐르고, 산업화와 자동화의 발전으로 인해 물자가 조금 더 흔해졌지요. 그러자 경제학도 조금 타협을 하여 가위의 양날이 동시에 종이를 자르는 것처럼 공급과 수요는 동시에 존재한다라고 가르쳤습니다. 하지만 요즘 같이 물자와 서비스가 모두 넘쳐나는 공급과잉의 시대에는 어떨까요? 아직까지 경제학의 주류 이론 자체가 수요를 우선시하는 방향으로 전환했다고 말하기는 어렵겠지만 이론 차원의 경제학을 떠나 미시 경제의 주요 주체인 기업의 경영 방침은 이미 '수요가 있는 곳에 공급이 있다.'라는 방향으로 확실하게 이동을 하고 있습니다.[1] 그리고 지금과 같은 무한경쟁의 사회에서는 수요가 있는 곳에는 금방 거대한 공급의 물결이 이어집니다. '관종' 산업도 예외는 아니지요.

조금 불편한 이야기일 수 있겠지만 결국 지금 세상에 '관종'이 넘쳐나는 이유는 우리가 비호감 어린 눈길을 보내는 일부 특별한 유형의 사람들 때문만은 아닙니다. 바로 그것을 즐기는(욕하면서 즐기는?) 매우 폭넓은 소비수요가 있기 때문이며 또 그것을 경제적인 이유로 조장하는 사회적인 혹은 산업적인 이해관계가 존재하기 때문입니다.

'관종' 행위의 범람은 흥미로우면서도 매우 중요한 상징성을 갖는 21세기의 사회적 현상입니다. 이를 단순히 소수 비정상인들의 일탈이라고 해석해서 현대 디지털 문명의 한 '서브컬쳐'로 치부해 버린다면 우리는 이 현상이 가지고 있는 중요한 사회적 메시지를 놓쳐버리게 될 것입니다. 상술한 대로 이를 수요와 공급이라는 경제학적인 관점에서 조망해보는 것은 매우 좋은 시도입니다만, 이것만으로는 부족합니다. 수요와 공급 이전에 인간이 가지고 있는 생물학적인, 그리고 정서적이고 사회적인 측면까지 두루 고려하여 인간의 '관종' 행위가 가진 그 본질적인 특징을 연구해 보는 것이 이 책의 1차적인 목적입니다.

---

[1] 최근 기업의 경영 기조는 '수요가 있는 곳에 공급이 있다.'를 넘어서 수요를 선제적으로 예측하고 더 나아가서 자사의 핵심 육성 제품에 대한 수요를 인위적인 방식으로 창출하려고 합니다. 이를 위하여 수없이 많은 방대한 데이터를 활용하여 인간의 필요와 욕구를 분리해내고 있으며 인간의 의사결정 및 행동 패턴을 분석하려 합니다. 그리고 이러한 기업의 적극적인 마케팅 활동의 기초자료를 제공해주기 위해 데이터 산업과 인문학에 대한 사회적 수요가 커지고 있습니다. 산업 생태계는 환경의 변화에 최적화하기 위해 끊임없이 변화하고 진화하는 생물의 본질을 그대로 닮아가고 있습니다.

그리고 그것을 확인해가는 과정에서 얻게 된 통찰력을 활용하여 인류의 보다 나은 미래에 대한 제언을 드리고자 하는 게 이 책이 가진 궁극적인 목적입니다. 그 과정에서 인간과 디지털의 관계 설정, 육아와 교육의 중요성 등 다양한 사회적 담론들을 폭넓게 다룰 예정입니다. 즉 '관종'이라고 하는 하나의 사회적 현상을 통해 우리가 살아가는 현시대의 문제점과 문명에 대한 심층적인 진단을 하고 거기에 맞는 사회적인 차원의 솔루션을 제공해 보고자 합니다. 그래서 이 책의 부제목을 '관종현상의 톡톡튀는 분석'이라고 정하였습니다.

이 책은 크게 두 파트로 나누어져 있습니다. 첫번째 파트는 '관종' 행위를 여러 차원에서 분석해 보고 있습니다. 크게 생물학적인 차원, 정서적인(혹은 심리적인) 차원, 경제적인 차원, 그리고 이 세 요소를 망라한 사회적인 차원입니다. 이러한 개별적인 그리고 종합적인 분석을 통해서 '관종'이라는 행위에 대한 원인과 작동 메커니즘, 이것을 어떻게 바라봐야 할지에 대한 기본적인 관점을 제공하고자 합니다.

두번째 파트에서는 '관종'이라는 하나의 사회적 현상을 통해 우리가 살아가고 있는 현 문명의 문제점을 진단해봅니다. 그리고 '인간'이라는 하나의 생물 종(種)에게 가장 이상적인 사회적 환경을 상상해 보고 그 설레는 상상을 현실 세계에서 구현하기 위해 기초적인 솔루션을 제안해 보고자 합니다.

그럼 이제 '관종'의 모든 것을 샅샅이 파헤쳐보는 '관종'의 세계로 여러분을 안내합니다.

생물학적 요인

우리는 앞에서 '관종'에 대한 폭증(?)하는 수요와 그것을 실시간으로 전달해주는 산업 환경에 대해 잠시 살펴보았습니다. 그럼 이제 본격적으로 '관종' 행위 이면에 숨겨져 있는 원인과 작동 기전에 대해 들여다볼 준비가 되었으리라 생각합니다.

여러분들 주위에는 혹시 '관종'이라고 불리는 사람들이 있지는 않습니까? 말 그대로 남들의 관심에 굶주려 있는 사람들이 곁에 있지는 않으신가요? '관종'이라 불리는 사람들이 모두 외향적이고 여기저기 나서는 사람들은 아닙니다. 오히려 극도로 폐쇄적이고 내면 지향적이라 겉으로는 그 사람이 '관종'이라는 것을 못 알아 차릴 수도 있습니다. 아마 높은 확률로 '관종'이라는 사람들은 이미 여러분의 곁에 있을 것입니다. 아니 어쩌면 이 글을 보고 있는 여러분들 스스로가 '관종'일지도 모르겠습니다. 그리고 이 글을 쓰고 있는 저 역시 '관종'의 범주에 속할지도 모르겠구요.

사실 우리에게는 타인의 관심을 원하는 본능이 내제되어 있습니다. 내 SNS 계정의 '라이크'를 부르고 싶어하는 본능은 타인의 관심이야 말로 우리가 사회적 동물로서 생존을 위해 반드시 필요한 요소라는 증거입니다. 갓난 아기는 생존을 위해 엄마와 아빠의 관심이 필요합니다. 아기에게 있어서 부모의 관심은 그야말로 사느냐 죽느냐의 문제이겠지요. 이런 차원에서 볼 때 관심을 끌고자 하는 동인(動因)이나 행위 자체는 지극히 정상적이라고 판단할 수 있습니다. 문제는 그 행위의 강도와 상황성에 달려있겠지요.

다시 아기의 예를 들어보겠습니다. 아기는 체온이 떨어졌을 때, 배가 고플 때, 정서적 안정감이 필요할 때, 혹은 자세가 불편하거나 무엇인가 도움이 필요할 때 엄마나 아빠를 찾습니다. 엄마나 아빠의 주의를 끌어 당면한 이 절박한 문제를 해결하지 못한다면 아기의 생존은 크게 위협받을 것입니다. 그렇기에 아기는 자기가 할 수 있는 모든 수단을 동원하여 부모의 관심을 끌려고 합니다. 크게 울고 보채고 그야말로 생난리를 칩니다. 왜냐하면 이 절박한 생물학적 요구가 지속적으로 채워질지 아닐지 아직 확신이 서지 않은 영아에게 자신이 가진 모든 수단을 동원해 부모의 관심을 끄는 것은 생존과 직결된 문제이니까요.

인류는 진화의 과정에서 지능의 발달을 주요 생존 전략으로 삼은 것 같습니다. 그 당시 진화의 관점에서 보자면 더 많은 기억을 저장할 수 있는 공간, 더 높은 수준의 연산 및 추론, 더 많은 감정의 교류 등을 위해서 물리적으로 더 큰 용적의 뇌가 필요했을 겁니다. 아마 현대의 공학적인 관점이라면 하드웨어의 물리적 공간을 늘리기 보다는 데이터나 처리장치를 더 압축해서 한정된 공간 안에 적층하는 나노테크놀로지를 사용했겠지만요. 여하튼 이 큰 용적의 뇌를 담아두기 위해서는 이에 걸맞은 큼직한 두개골도 필요하겠군요. 큼직한 두상이라... 요즘 '관종'들이 남을 공격하기에 딱 좋은 주제입니다. 요즘의 심미적인 관점에서는 큰 두개골보다는 작은 두개골의 선택이 더 나은 진화의 방향일 수 있었겠네요.^^;;

여하튼 이 큼직한 두상의 문제는 영장류(靈長類)에 속한 생명체들의 생존에 있어 매우 도전적인 과제였습니다. 더욱이 인간의 경우 태아의 머리와 몸의 비율은 성체일 때의 그것보다 압도적으로 큽니다. 태아일 때는 대개 3등신 정도이지만 성체가 되면 7등신 정도가 되니까요. 그래서 임신이 되었을 때 뱃속의 태아가 자라날수록 두개골의 크기 때문에 어미의 산도를 통과하는 것이 쉽지 않아지게 됩니다. 주위를 둘러보면 출산 시 머리 / 몸의 비율이 사람만큼 큰 동물은 드뭅니다. (수사자의 대두는 성장하는 과정에서 만들어집니다. 수사자도 태어날 땐 아기 고양이처럼 아주 작고 귀여운 머리 크기입니다.) 태아가 뱃속에서 성장할수록 두개골의 크기도 계속 커지게 되고, 그럴수록 출산 시 산모와 태아 모두의 생존 가능성이 현저히 줄어들게 됩니다. 여기서 우리 종(種)이 택한 진화의 방식은 바로 조기 출산이었습니다. 즉, 일반적인 포유류의 관점에서 볼 때 아직 뱃속의 태아가 어미의 몸속에서 양수의 보호를 받으며 충분히 더 성장해야 하는 시점에 출산을 시도하는 것이지요.

이는 진화의 관점에서 보면 리스크가 매우 큰 선택이었습니다. 두개골의 크기가 어미와 태아의 생존을 위협하는 확률과 조기 출산으로 인해 미숙아로 태어난 영아의 남은 생애기간 동안의 생존확률(그 당시의 의료환경을 생각해보면 미숙아로 태어난 영아의 기대수명이 크지 않으리라는 것은 충분히 추론 가능합니다.)을 계산하여 두 개체(어미와 태아)의 생존확률이 극대화되는 한계 효용 지점이 인간에게는 바로 266일이었나 봅니다. 물론 266일이라는 호모사피엔스 종(種)의 임신기간은 몇십만 년이라는 시간을 통해 과거의 생존확률 데이터를 토대로 조금씩 그리고 아주 천천히 미세조정이 되었겠지요. 그리고 앞으로도 우리 사피엔스 종이 계속 이 지구 위에 번성해 나간다면 현재의 266일이라는 사피엔스 종의 임신기간은 환경의 변화와 그에 대응하는 인간의 진화 전략의 수정으로 인해 조금씩 아주 천천히 계속 바뀌게 될 것입니다.

미숙한 상태로 태어난 호모사피엔스 종(種)의 아기들은 다른 포유류 동물들에 비해 엄마의 밀착된 돌봄을 필요로 합니다. 다른 포유류들, 예컨대 말이나 소는 태어나자 마자 바로 서고 움직입니다. 물론 어미의 젖을 필요로 하긴 하지만 생존과 더불어 이동성이 어느 정도 확보되기에 생존을 위해 본인 스스로도 조금이나마 대응이 가능하다는 것이지요. 이들은 어미의 뱃속에서 이미 충분히 성장한 후, 세상에 나왔기 때문에 출생 직후의 환경에서 비교적 적은 도움을 받고도 생존할 가능성이 있습니다. 하지만 인간은 어떤가요? 인간의 경우 출생 직후 부모 혹은 주위의 도움이 없을 경우 홀로 생존할 가능성은 제로입니다. 모든 부분을 하나부터 열까지 누군가가 돌봐줘야지만 생존의 가능성이 생깁니다.

몇십만 년 전 우리의 오랜 조상이던 샤피엔스들의 출산 직후 상황을 한번 상상해보겠습니다. 그 당시는 난혼(亂婚)과 다산(多産)의 문화가 섞여 있는 시절이어서 출산한 아이들의 사회적 관계를 파악하기가 어려웠습니다. 더욱이 영양 및 보건 위생 등의 문제로 인해 영유아 사망률이 워낙 높아서 아기들이 쉽게 죽었습니다. 이런 환경에서 갓 태어난 아기들의 생존 전략은 무조건 어른들의 눈에 띄어서 절박한 생물학적 요구를 해소하는 것이었습니다. 이동성을 아직 확보하지 못한 영아들이 사용할 수 있는 대안은 주로 크게 울기 등이었겠네요.

요즘처럼 출산한 아기의 가족 관계가 명확하고 부부당 기껏해야 한 명 두명의 아기를 두고 있는 환경에는 더 이상 필요하지 않은 생존 전략일 수 있겠지만 이러한 생물학적 생존 기전은 아직 우리 아이들의 유전자 속에 강렬하게 남아있는 듯 합니다. 그래서 이를 달래고자 하는 엄마 아빠의 가없은 노력에도 불구하고 아직 후천적 학습 전 상태인 영아들은 생존을 위한 그들의 가열찬 노력으로 부모를 힘들게 할 수 밖에 없습니다.

아기들이 나이를 먹어가며, 엄마 아빠와의 유대감과 신뢰를 형성하게 되면 이제 아이들도 조금씩 여유가 생깁니다. 내게 무언가 필요할 때 나를 위해 이것을 대신 해결해 줄 든든한 보호자가 있다는 사실을 후천적으로 학습하게 되거든요. 그렇게 되면 아이들은 이제 무언가를 요청하기 위해 이전처럼 극단적인 수단(자지러질 듯 울기, 폭력적인 몸부림 등)을 사용하지 않아도 된다는 것을 배우게 됩니다. 우리가 흔히 하는 말대로 사회화가 되기 시작하는 것입니다.

그렇습니다. 관심을 받고자 하는 욕구는 우리에게 내재된 매우 자연스러운 본능입니다. 우리는 이를 생물학적인 본능이라고 말할 수 있겠네요. 하지만 관심을 받고자 하는 인간의 생물학적인 본능은 다른 동물들과 차이가 있습니다. 종 자체의 생물학적 차이도 있겠지만, 무리를 지어 행동하는 종 특유의 사회적인 차원에서도 이 '관심 받고자 하는 욕구'의 근원을 찾아볼 수 있습니다.

잠깐 옆길로 새자면, 생물학적 본능 차원에서 생각해볼 경우 무리

생활을 하는 타 포유류(예컨대 늑대, 하이에나, 사자 등과 같은 무리 생활을 하는 개과, 고양이과 포유류 혹은 영장류 집단)와 인간의 '관심 받고자 하는 욕구'가 어떻게 차이가 나는지 동물학자들의 연구가 진행된다면 매우 흥미로운 결과가 나올 것 같습니다. 아마 이종(異種) 간의 차이점 보다는 공통점이 더 많지 않을까 조심스레 추측해봅니다. 인간의 사회생활이 영장류나 기타 개과, 고양이과 동물들의 무리지음에 비해 조금 더 세련되고 교묘할 수는 있어도 그 본질에 있어서는 큰 차이가 없지 않을까 생각해봅니다. 하지만 이러한 공통점을 뛰어넘는 '사피엔스'라는 종만의 특별한 차이점을 찾아낸다면 그것은 생물계에서 인간의 지위를 조금 더 특별하게 만들어주지 않을까 조심스레 기대해봅니다.

무리생활을 하는 타 포유류들의 세상에도 비록 사람에 비해 조금 투박할지언정 사회생활에 필수적인 질서 체계가 있습니다. 이는 곧 한정된 자원의 분배에 대한 나름의 정치적인 합의 혹은 물리력을 바탕으로 한 권력으로 표현되겠지요. 대부분 후자에 가깝겠지만 드물게 평화적인 합의에 의한 질서 체계도 있을 것입니다. 보노보의 경우 이러한 관점에서 매우 흥미로운 관찰 대상입니다. 어쩌면 이들의 문화가 인간들의 문화보다 더 발전된 성숙한 문화일지도 모르겠군요.[2]

---

[2] 문화의 성숙도를 판단하는 것은 사실 매우 애매하면서도 뚜렷한 기준이 없는 영역인 것 같습니다. 제가 거칠게나마 문화의 성숙도를 판단하는 기준은 협업 대상 분야의 수평적인 넓이와 수직적인 깊이, 내부 구성원들 사이에 발생하는 갈등의 해결 방식(주로 폭력을 바탕으로 한 위계질서인지, 혹은 공리주의(功利主義)원칙을 기반으로 한 토론과 타협의 방식인지 등), 생태계와의 공존에 대한 이해도 등입니다. 각각의 항목에 어느 정도의 가중치를 두어야 할지, 어떻게 이것을 평가해야 할지, 기후와 환경 요인은 어떻게 처리해야 할지 등의 어려운 문제가 산적해 있어 문명의 수준에 대한 계량화를 시도하기가 쉽지는 않습니다. 제가 주관적으로 생각하는 인류 역사상 가장 높은 수준의 문명은 북미의 네이티브 인디언들이 아니었을까 싶습니다.

생물학적 요인과
다른 요인들과의 관계

그럼 관심을 받고자 하는 우리의 욕구가 과연 생물학적인 차원에서만 비롯된 것일까요? 사실 생물학적 차원의 원인이 가장 근본적인 것은 맞는다고 봅니다. 다른 고차원적인 욕구들도 사실 모두 이러한 1차원적인 욕구에서 비롯되는 파생물일 테니까요. 하지만 이 '관심에 대한 욕구'가 온전히 '생물학적인 욕구'뿐이라고 하기에는 인간의 욕망이라는 구조가 그렇게 단순하지 않습니다. 인간의 '라이크를 부르는 심리'를 너무 고차원적으로 바라볼 필요는 없지만 반대로 너무 동물적인 차원에서만 바라볼 필요도 없습니다.

우리는 생물학적인 차원에서 한걸음 더 나아가 정서적 혹은 심리적 차원에서 이 욕구를 바라볼 필요가 있습니다. 대개 일반적인 상황에서 생물체의 감정은 생존에 유리한 환경에 우호적인 방향으로 발현됩니다. 즉, 내 생존에 유리한 환경이나 대상에 대해서는 긍정적인 정서가 형성되고 그 반대의 경우에는 부정적인 정서가 형성됩니다. 좀 투박하게 이야기 하자면 본인의 에너지 확보와 번식에 유리한 환경에 대해서는 '좋다'라는 감정과 함께 그것을 붙잡아 두고자 하는 욕구가 강하게 형성이 됩니다. 그리고 본인의 에너지 확보와 번식에 불리한 환경에 대해서는 '싫다'라는 감정과 함께 그것을 피하고자 하는 욕구가 역시 강하게 형성됩니다.

누구나 '좋다'라는 감정을 제공하는 환경을 붙잡아 두고 싶고, '싫다'라는 감정을 제공하는 환경을 피하고자 하지만 우리네 인생사가 그렇게 쉽게만 풀릴리는 없지요^^;; 그렇기에 우리는 '좋다'라는 감정을 제공하는 환경을 더 이상 붙잡을 수 없을 때마다, 그리고 '싫다'라는 감정을 제공하는 환경을 피할 수 없을 때마다 괴롭습니다. 그리고 아무리 돈이 많은 사람이라도, 아무리 대단한 권력을 가진 사람이라도, 아무리 운이 좋은 사람이라도 이런 상황을 모두 피할 수는 없습니다. 이것이 바로 인간이 본질적으로 괴로울 수 밖에 없는 이유입니다.

외부의 자극에 노출된 우리의 감각세포가 외부에서 들어온 특정 자극을 전기신호를 통해 뇌에 전달하면 뇌는 해당 자극이 생존에 유리한지 불리한지를 재빨리 파악합니다. 이 연산 과정은 매우 빠르지만 정확하지는 않습니다. 뇌는 기존에 축적되어 있는 개체의 경험이라고 할 수 있는 클라이언트 컴퓨터의 데이터베이스, 그리고 DNA에 녹아 있는 인류라는 종(種) 중앙 서버의 데이터베이스에 해당 자극을 대입해 보고 거기에 대한 결과물을 즉각 생성합니다. 이렇게 해서 생성되는 전기-화학적 결과물이 바로 '감정'입니다. 개체차원에서 보유한 과거의 경험과 종(種)차원에서 보유한 생존을 위한 기본 소스 코드(Source Code)를 토대로 보아 이 외부 자극이 생존에 유리한 것이라면 '좋음'이라는 이름표를 붙이고 불리한 자극이라고 판단되면 '싫음'이라는 이름표를 붙이게 되지요. 그래서 우리에게는 '좋음' 이름표가 붙은 자극이 들어오면 긍정적인 감정이 생기고, '나쁨'이라는 이름표가 붙은 자극이 들어오면 부정적인 감정이 생기게 됩니다.

하지만 좋음과 싫음이 흑과 백처럼 명확히 구분되는 것은 아니며 이 좋음과 싫음 사이에는 무수히 많은 스펙트럼과 다양한 조합이 존재합니다. 아주 좋음, 많이 좋음, 약간 좋음, 보통, 약간 싫음, 많이 싫음, 아주 싫음, 이것의 이 부분은 좋지만 저 부분은 싫음 등등 무수히 많은 스펙트럼과 조합이 있을 것입니다. 그래서 자극에 대한 감정의 생성은 재빠르지만 이를 명확히 분류하기는 사실 불가능한 일입니다.

　또한 특정한 자극을 만나게 되어 이에 대한 이름표를 붙이기 위해 뇌 속 기억저장장치의 데이터베이스를 훑어보았는데 이 자극에 매칭 (matching)이 되는 기존의 경험도 없고 비슷한 유형의 분류 창고(카테고리)도 없는 새로운 유형의 자극을 만나게 되는 경우도 많습니다. 그러면 우리는 이를 '좋음'에 분류해야 할지 '싫음'에 분류해야 할지 망설이게 됩니다. 이렇게 분류하기 어려운 감정은 일단 '분류 안됨'이라는 카테고리에 들어가겠지요? 이 '분류 안됨' 카테고리에 들어가 있는 감정의 덩어리들 중 하나가 바로 제가 생각하는 '불안'이라는 감정입니다. 불안이 만들어내는 신체적 변화를 신경병리학에서는 '신경증'이라는 용어로 표현합니다. 내적인 갈등을 맞닥뜨리게 될 경우 인체에서 발생하는 호르몬 및 신경전달물질의 변화로 인해 자율신경계통이 활성화 되고 이는 곧 가슴두근거림, 발한, 혈압의 상승 등으로 나타납니다. 그리고 이러한 신체적 변화는 다시금 불안이라는 감정을 더욱 악화시키지요.

　신경증의 원인이기도 한 불안은 이렇듯 생존에 유리할지 불리할지 쉽게 파악이 안 되는 상황에 맞닥뜨리게 될 때 느껴지는 감정입니다. 흥미로운 추론은 뇌 속에 축적된 데이터베이스의 총량과 불안의 관계가 비례 하지도, 반비례 하지도 않을 것 같다는 것이지요. 상관관계가 크지 않다는 말입니다. 축적된 데이터베이스가 적어서(경험이 부족하고 지식이 부족한 상태. 나이가 어린 경우에 이럴 가능성이 상대적으로 높지요) 자극을 분류할 기준이 적은 사람들이라고 해서 꼭 불안함을 많이 느끼는 것도 아닙니다. 이들은 투박한 거름망을 들고서 오히려 쉽게 쉽게 감정들을 좋음 혹은 나쁨으로 분류해버리고 불안한 감정 상태로 오래 머물러 있지 않을 수도 있습니다. 물론 분류 기준이 적기 때문에 이 과정에서 실제로 옳지 않은 판단을 해버리는 경우가 많지만 그럼에도 불구하고 이 '불안한' 감정 상태에서 오래 머무는 것보다는 차라리 틀린 판단을 해 사고를 한번 치고 지나가 버리는 경우가 본인의 생존을 위해 더 나은 경우도 많습니다.

반대로 충분한 데이터베이스를 지닌(경험이 풍부하고 정보와 지식을 많이 쌓은 사람. 나이가 많을 경우에 이럴 가능성이 상대적으로 높지요) 사람이라고 해서 불안함을 덜 느끼지도 않습니다. 오히려 이들은 데이터 베이스 내 너무나 다양한 분류체계를 가지고 있고 자극이 가지고 올 수 없이 많은 변수들에 대해서 끊임없는 연산을 하다 보니 이 자극에 대한 이름표를 찾다가 길을 잃어버리고 맙니다. 이렇게 식자우환(識字憂患 : 배운 사람은 고민이 많다)이라는 사자성어가 탄생하는군요^^;;

이 '분류 안됨'의 감정은 불안 말고 다른 방향으로의 에너지도 있습니다. 무언가 명확하지 않을 때, 무언가 잘 모르겠을 때, 불안함의 파도에 빠지는 사람도 있지만 이런 환경에서 오히려 설렘과 기대, 희망을 보는 사람도 있습니다. 되는 것과 안 되는 것, 이루어지는 것과 실패하는 것, 이런 경계선에 걸쳐 있는 애매한 상황을 오히려 즐기며 여기에서 강렬한 동인(動因)을 얻는 사람들이 있습니다. 이들은 아마 그들의 선천적인 기질에다가 후천적으로 살아온 환경 및 학습에 의해 이런 모호한 상황에서 생존을 위해 더 많은 아드레날린을 분비하게 되지 않았을까 합니다. 그리고 이것이 다시 쾌락 호르몬으로 전환되는 비율이 상대적으로 매우 높을 것입니다.

이런 사람들은 모험가, 혁신적 사업가, 혁명적 정치인 등의 직업군에서 많이 찾아볼 수 있습니다. 물론 이런 이들이 모두 성공하는 것은 아니지만 이런 유형의 사람들 중 유난히 촉이 좋은 사람들은 결국 역사를 이끌어 나가게 되더군요. 동일한 자극이 사람에 따라 다양한 방향의 에너지로 분출되는 것을 보면 역시 사람이라고 하는 '함수'는 개체 별로 끝없이 다양한 다원성이 있는 것 같습니다. 결국 이 '분류 안됨'이라는 감정 덩어리는 누군가에게는 불안감을 줄 수도, 누군가에게는 설렘과 희망을 줄 수도 있는 동전의 양면과 같습니다. 하지만 한가지 확실한 것은 세속적인 성공을 위해서라면 어느 경우라도 '분류 안됨'이 주는 적당한 스트레스가 필요한 법입니다. 이러한 자극이야말로 우리를 앞으로 나아가게 하는 원동력임에 틀림없습니다.

우리에게 감정이 생겨나는 과정과 불안함의 의미에 대해서 잠시 살펴보았습니다. 이렇듯 우리의 마음은 좋다 가도 싫고, 싫다 가도 좋고, 좋은 것 같기도 하고 싫은 것 같기도 하고, 좋긴 한데 해서는 안될 것 같고, 싫긴 한데 해야 할 것 같고, 뭐가 뭔지 잘 모르겠고... 그래서 유명한 유행가 가사처럼 '내 마음 나도 몰라'가 되는 것입니다.

이러한 복잡다단한 감정의 분출은 그 자체만으로도 경이롭습니다만 동일한 자극이 투입된다 하더라도 개체의 데이터베이스(개인의 경험이나 유전적 특성)에 따라 사뭇 다른 감정이 생성될 수 있다는 점도 몹시 흥미롭습니다. 위에서 잠깐 예를 들었던 '분류 안됨'의 감정이 사람에 따라 불안함을 줄 수도 있고 설렘과 희망을 줄 수도 있다고 했습니다. 혹은 다양한 다른 상황들, 예를 들어 진급, 시험에서의 실패, 연인과의 첫 데이트, 실연, 복권의 당첨, 남들로부터의 인정 혹은 무시나 멸시 등의 자극에 대한 감정 생성이 사람에 따라 그 방향성과 정도에 있어 모두 차이가 날 수 있다는 것입니다. 이는 우리의 감정이 생물학적으로 미리 프로그램된대로 동일하게 튀어나오기도 하지만 후천적인 환경과 학습에 의해 다른 결과물이 나올 수도 있다는 가능성을 열어 두게 합니다.

인간은 아주 예부터 이러한 인간의 다양한 감정의 생성과 분출의 메커니즘에 대해 많은 흥미를 보이며 이들을 분석하고 분류해보기도 하였습니다. 동양에서는 인간의 감정을 '희노애구애오욕'(喜怒哀懼愛惡欲)의 칠정(七情)이라고 파악하였습니다. 기뻐하고 화나고 슬퍼하고 두렵고 사랑하고 미워하고 욕심 내는 인간의 기본적인 감정들이지요. 혹은 이를 더 단순히 희로애락(喜怒哀樂)으로 표현하기도 하였습니다.

성리학에서는 '희노애구애오욕'의 칠정을 인간이 가진 낮은 차원의 생물학적 기제로 파악하고 이를 기(氣)의 발현으로 봅니다. 그래서 이러한 기제를 통해 그저 나오는 대로 감정을 분출하는 것을 옳지 않게 보았으며, 기보다 더 높은 수준의 리(理)를 통해 이 칠정을 올바른 방향으로 통제하는 것을 배움의 완성으로 삼고 있습니다. 이를 퇴계 이황은 기발이리승지(氣發而理乘之. 기가 발현된 후 리가 기에 올라타서 기의 방향을 잘 통제한다)라고 하였습니다. 즉, 생물학적으로 발현되는 감정이라는 기제에 휘둘리지 말고 이를 인간의 의지와 배움으로 극복하여 궁극의 이치를 행한다는 것입니다. 이런 생물학적 차원의 기(氣)와 인간이 궁극적으로 달성해야 할 관념적 차원의 리(理)는 서로 상호작용을 하며 정반합(正反合)의 과정을 전개해 나갑니다. 성리학의 이론에 따르면 감정의 생성과 발현 기제는 생물학의 영역에만 머무르지도 않고 또 그래서도 안됩니다. 이를 절제하고 통제할 수 있는 자유의지와 더 높은 차원의 이상을 실현코자 하는 배움을 통해 낮은 차원의 생물학적 기제를 올바른 방향으로 승화시킬 수 있습니다.

성리학적 세계관에 의하면 리와 기의 관계는 매우 미묘해서 어느 순간 리와 기가 분절되기도 하고 합쳐지기도 하며 어떤 경우는 기의 우위, 어떤 경우는 리의 우위가 나타나기도 합니다. 이러한 다이내믹(동적 / 動的)하면서도 미묘한 변화를 표현하기 위해 태극의 파도 문양을 차용하기도 합니다. 사실 리와 기의 관계는 경우에 따라서는 대등하게 표현되기도 하지만 동양의 정통 성리학체계에서는 리에 더 우위를 두는 경향이 있습니다.

동양의 학문 체계는 일부 예외는 있었지만 대개의 경우 많은 지역, 많은 시대에서 물리적인 현상에 대한 파악(기에 대한 관심)보다는 좀 더 관념적이고 이상적인 것에 대한 추구(리에 대한 관심)가 주를 이루었고 그러다 보니 서양의 학문 체계에 비해 조금 더 물질보다 정신을 추구하는 문화가 되지 않았나 생각해봅니다. 하지만 칠정의 발현이라는 부분에 있어서는 관념적인 리와 생물학적인 기가 대등하게 상호작용을 하는 것으로 보아야 하지 않을까 싶습니다. 아니 조금 더 나아가서 이 부분에서는 기의 우위를 인정해주고 싶군요. '기발이리승지'(기가 발현된 후 리가 올라타서 기를 통제한다)의 개념도 리의 지배나 우위의 개념보다는 기와 리의 인과(因果) 혹은 선후(先後)의 관계로 파악하는 것이 옳다고 봅니다. (기가 원인이고, 기가 시간적으로 선행한다는 의미)

 어떠신가요? 우리가 평소 쉽게 생각했던 감정이라는 프로세스가 사실은 굉장히 복잡하면서도 미묘하다는 것이 놀랍지 않으신가요? "너는 네 감정 하나도 제대로 다스리지 못하냐?"라는 꼰대 어른들의 질책이 사실은 굉장히 어려운, 비현실적인 요구라는 사실이 새삼 느껴지시겠지요? 그래서 우리는 이런 질책이나 비난에 필요 이상으로 기죽거나 쫄지 않아도 됩니다. 그런 질책을 하는 사람 역시 본인의 감정을 제대로 다스리지 못함이 분명합니다. 왜냐하면 그 말투에서부터 본인 스스로 상대방에 대한 분노와 경멸의 감정을 여과 없이 표출하고 있기 때문입니다. 그리고 그 사람은 감정이라는 기제에 대한 충분한 숙고나 통찰이 없음에 분명합니다. 감정에 대한 통찰이 있는 사람은 비록 자신이 감정을 잘 다스릴 수 있다고 해서 다른 사람에게 함부로 이런 비난을 하지 않기 때문이지요. 그러한 절제가 결코 쉽지 않다는 것을 잘 알고 있기에, 그리고 그것을 이루어 낸 훈련된 인격자이기에 먼저 성취한 자신에 대한 단단한 자존감은 있을지언정 아직 도달하지 못한 후학들의 성취를 못 이룸에 대한 비난의 마음은 없기 때문입니다.

반대로 우리가 늘 우습게 생각했던 "내 마음 나도 몰라~"라는 유행가 가사가 사실은 인간의 감정 기제를 꿰뚫어 보는 통찰력에서 나온다는 것도 알 수 있습니다. 불혹의 나이를 훌쩍 넘긴 저도 아직 제 마음을 잘 모르겠습니다. 하물며 스무살 때는 어땠을까요? 남의 마음을 간절히 알고 싶었던 20대 시절의 제 모습을 떠올려 봅니다. 그들은 그 때 내게 왜 그랬을까? 하는 마음에 수없이 많은 밤을 번뇌로 지새우던 적이 있었지요. 사실은 그들 역시 자기 맘을 몰랐을 겁니다. 자기 자신의 맘도 몰랐을 그들의 맘을 간절히 알고자 괴로워했던 20대의 제 모습이 아직도 눈에 밟힙니다. 어른이 된 지금에서야 그때의 나에게 따뜻한 포옹과 함께 위로를 건네 봅니다.

"많이 아팠지? 정말 고생했어. 뒤돌아보면 눈물 뿐이지만 이젠 그 기억을 보내주자. 너를 아프게 한 그 기억을 그들이 기억하고 있지는 않겠지만 그들 역시 스스로의 미숙함 때문에 많이 힘들었을 거다. 이젠 후련하게 외쳐보자. 안녕 못된 사람들아~ 안녕, 이제 기억 저 너머에서 잘 있어~"

역선택의 문제

라이크를 부르는 심리

앞장의 마지막 문장이 이 글을 읽고 있는 여러분들께 위안이 좀 되었으면 합니다. 이 글을 쓰고 있는 저에게도 그렇구요^^;; 자, 그럼 이제 다시 정신을 집중해서 본문으로 돌아갑니다.

위에서 살펴본 바에 따르면 정서적 욕구는 생물학적 욕구에 종속된 관계로 파악할 수 있습니다. 하지만 인간에게는 인간이라고 하는 종(種)만의 특이한 점이 있습니다. 바로 '성질머리'이지요. 즉, 자존심이나 성질 때문에 누가 보아도 본인에게 손해가 가는 행동을 미욱스럽게 고집한다는 것입니다. 이것은 인간의 '종특'입니다. 우리는 이러한 역선택의 사례를 주위에서, 혹은 본인 스스로에게서 쉽게 찾아낼 수 있습니다. "굶어 죽는 한이 있더라도 그 인간 밑으로는 안 들어간다.", "그 손을 잡느니 차라리 빌어먹고 산다."

어떻습니까? 이런 대사들 어디선가 많이 들어보지 않으셨나요? 참 익숙한 대사들입니다. 영화나 드라마에서 들어보셨을 수도 있고 주위 사람들에게서 직접 들으셨을 수도 있지요. 혹은 우리 스스로의 기억에 있는 대사일지도 모르겠습니다. 우리는 '쫀심' 때문에 우리의 생존에 유리한 선택을 하는 것에 매우 자주 실패하곤 합니다. 제가 너무 천박한 사례를 들었나요? 그렇다면 조금 고상한 사례도 한번 살펴봐야겠네요.

우리 주위에는 권력을 가지고 있음에도 불구하고 각종 편법이나 뇌물을 거부하고 본인이 생각하는 정의와 공공선을 위해서 강직하게 올바른 일을 하는 사람들이 종종 계십니다. 일제시대에는 본인의 목숨을 버려가며 민족 해방을 위해 희생하신 많은 열사, 의사, 지사분들도 계셨지요. 그리고 철로에 떨어진 생면부지의 사람을 구하기 위해 자신의 목숨까지 버려가며 남을 돕고자 하는 의인들이 있습니다. 그 행동의 동기가 천박하건, 혹은 고상하건 간에 우리는 인간이 가진 '종특'이 매우 특별한 행동을 유발한다는 것을 알게 됩니다. 이러한 행동은 생물학적으로도, 경제학적으로도 설명하기 어려운 비합리적인 역선택입니다만 합리성을 떠나 일상에서 엄연히 일어나고 있는 일입니다. 설명할 방법을 못 찾는다고 해서 그 현상이 존재하지 않는 것처럼 무시해버리는 일부 학문 체계의 오류를 답습해서는 안 되겠지요.

우리는 이러한 역선택을 어떻게 이해해야 할까요? 위의 사례를 보면 우리의 정서적 욕구는 생물학적인 욕구에 종속되지 않고 독립적으로 기능할 때도 있어 보입니다. 사실 이에 대해서는 전문 학자들의 영역에서도 쉽게 결론이 나지 않는 부분입니다만, 현재로선 양쪽 모두에 가능성을 열어 두고 접근해보는 게 좋습니다. 사실 세상만사가 무 자르듯이 깔끔한 단면을 나타내며 이쪽과 저쪽으로 명확하게 구분되는 것은 아니거든요. 모든 현상과 주체, 객체들은 사실 하나의 면 만을 갖고 있지 않고 선과 악, 밝음과 어둠, 슬픔과 기쁨이 모두 적당한 스펙트럼으로 섞여 있는 입체적인 모습을 띠는 법이니까요.

사실 개체 단위로 생명현상을 관찰할 때 이러한 역선택은 설명하기 어렵습니다. 하지만 생명의 단위를 개체 단위가 아닌 군집 단위, 더 나아가 생태계 단위로 확장한다면 이러한 행동을 생명의 창발성 차원에서는 이해할 수 있을지도 모르겠군요. 생명현상의 유지가 내 몸 뿐만이 아닌 내 유전자의 많은 부분을 공유한 후손, 그 후손을 키워줄 의지가 있는 배우자, 그 후손을 도와줄 가능성이 있는 사람, 그 후손의 후손 등으로 확장된다는 의식을 가지고 있다면 우리는 자연스레 내 몸 하나를 위한 이기적인 차원의 행동에서 좀더 이타적인 차원으로까지 우리 인식의 영역을 키워 나갈 수 있을 것 입니다. 그러다 보면 궁극적으로는 인간이라는 종(種) 전체까지로 의식의 영역을 확장 시켜 나갈 수도 있겠군요.

참 아름다운 인도주의의 극치이지만 이 역시 다시 생물학적으로 천박하게 해석할 수도 있습니다. 유전자의 명령에 의해 우리는 개체 보다는 인간 종(種)의 생존에 유리한 행동을 선택하게 되는 경우가 있다는 식으로요. 그렇기에 '나'라는 개인의 죽음을 통해 나와 비슷한 유전자 풀을 가진 더 많은 동료 집단의 생존에 대한 지속 가능성을 높일 수 있다면 기꺼이 죽음을 선택할 수 있도록 유전자에 프로그램이 되어있다고 말입니다. 이 논리에 따르자면 결국 우리는 광폭하고 맹목적인 유전자의 생존확률을 높이기 위해 기능하는 생존기계라는 식으로 해석될 가능성도 있습니다.

인간의 역선택을 설명할 수 있는 또 다른 시도는 종교적, 혹은 영적인 차원의 접근입니다. 특정 종교인들에게 있어서 육신은 인간의 영혼이 신과 합일하는 것을 방해하는 장애물입니다. 즉, 인간이 삶을 영위하기 위해 느끼게 되는 당연한 감정들을 신을 섬기거나 혹은 깨달음을 얻기 위한 구도의 과정을 방해하는 죄악이라고 여기는 것이지요. 물론 최근에는 이런 다소 과격한 근본주의적 종교관은 다소 누그러졌습니다만, 과거 중세와 근세까지 그 맹위를 떨쳤던 기독교에서

나 이슬람교, 혹은 힌두교나 불교에서도 절대자 혹은 절대 진리를 위해 자신의 육신을 가혹하게 체벌하는 관행들은 쉽게 찾아볼 수 있었습니다.

과거 로마 총독의 지배하에 있던 오리엔트 지역의 기독교 신자들은 기독교의 발흥을 위해 기꺼이, 아주 기꺼이 순교를 해왔습니다. 그 당시 로마의 재판 속기록에 따르면 안정적인 식민지 통치를 위해 종교적 박해를 최대한 피하고자 했던 로마의 통치자들에게 초개와 같은 결기로 자신에게 사형을 선고할 것을 강요하던 수많은 기독교 순교자들은 큰 골칫거리였습니다.[3]

이러한 종교적인 혹은 영적인 차원과 비슷하면서도 결이 다른 또 다른 역선택에 대한 설명 방식이 있습니다. 바로 인간이 가지고 있는 신념입니다. 신념 역시 무형의 가치입니다만 신념은 불가지론의 영역이 아닌 이 현실 사회에 그 뿌리를 두고 있습니다. 신념은 일상적으로는 삶을 살아가는 데 있어 개인이 가치를 부여하는 윤리나 도덕에 대한 기준을 의미하기도 합니다. 또 신념은 특정한 사회 구조에 대한 가치관을 의미하기도 하는데요, 우리는 이 경우에 신념을 흔히 '이즘' 혹은 이데올로기로 번역하기도 합니다.

---

3 예수 사후 초기 기독교가 발흥하던 시절, 로마가 다스리는 식민지의 사법 및 행정을 담당하던 총독들은 이들 기독교인들을 죽이지도 살리지도 못하는 곤혹스러운 상황에 자주 노출되었습니다. 제국의 안정적인 운영을 위하여 타민족과 그들이 섬기는 종교를 수용하고자 하는 로마의 관용적인 정책에도 불구하고 초기 기독교 신자들은 재판장에서 열렬히 순교를 원하였습니다. 제국이 허용하는 법의 테두리를 넘어서서 로마의 형법 체계를 조롱하는 이들에게 벌을 주지 않을 경우 제국의 법치 근간이 흔들릴 터이고, 그렇다고 벌을 줄 경우 타민족과 타 종교를 억압한다는 프레임이 씌워질테고... 이들 총독들에게는 참으로 진퇴양난의 형국이었을 것입니다.

특정한 사상, 예를 들어 공화주의, 민주주의, 사회주의, 공산주의, 무정부주의, 도로 복벽주의 등 근세에 유행한 수많은 사상들은 이를 신봉하는 수많은 시민들의 피를 머금고 자라났습니다. 또 이전 서양 봉건시대의 기사도나 동양의 왕정 치하의 가부장적인 사회구조에서도 피비린내 나는 일화를 숱하게 찾아낼 수 있습니다. 이들은 자신의 가치관 혹은 섬기는 주군을 위해 자신의 목숨을 초개와 같이 던져버립니다. 본인의 행동이 후손에게 까지 피해를 미칠 수 있는 상황에서도[4] 이들은 물러나지 않습니다.

과거 봉건시대에 왕에 대한 항명이나 반란을 상상해 보십시오. 서슬 퍼런 이념 대결의 시대에 자신이 몸담고 있는 체제에 반대되는 사상을 주장하는 혁명가들을 생각해 보십시오. 그리고 중세 서양에서 이신론자나 무신론자들의 삶을 상상해 보십시오. 시대에 따라 특정한 신념을 가진다는 것은 본인의 목숨 뿐만 아니라 가문 자체가 망할 수 있을 만큼 위험한 행동이었습니다. 최근에는 대부분의 민주국가에서 이러한 연좌제는 없어졌지만 불과 몇 세대 전만해도 이러한 연좌제는 너무나도 당연한 문화적 관습이었습니다. 이러한 행동은 당연히 생물학적으로는 물론이고 생물학적 이론을 창발성 개념으로 확장을 한다 해도 잘 설명이 되지 않습니다.

---

[4] 동서양을 막론하고 왕정체제에서 반대파 세력에 대한 숙청은 당사자 뿐만 아니라 그 직계 존비속으로도 확대되었습니다. 시민계급이나 귀족의 반대파 세력이 시도하였던 역성 혁명의 경우 국가의 스케일에 따라 3족에서 9족까지의 인척을 몰살시키기도 하였습니다. 더 좋은 세상을 꿈꾸었던 혹은 돈키호테 같은 과대망상에 시달리던, 혹은 측정 불가능한 야망과 욕망을 가졌던, 이들 풍운아들은 자신의 DNA의 절멸 혹은 폭풍 같은 번성이라는 판돈을 올려 두고 한판의 거대한 도박을 벌였던 승부사들이었습니다.

일반적으로 모든 생명체는 생명을 보존하는 것을 최우선적으로 고려하는 본능이 유전자에 프로그래밍 되어 있습니다. 그리고 유전자는 생존이라는 최우선 과제를 실행하기 위해 모든 상황별로 생존에 최적화된 행동을 유발시키는 단백질을 생산하게 합니다. 이 단백질은 개체의 각 상황에 맞게끔 호르몬이나 여러 신경전달물질의 분비를 자극하여 개체가 생존에 유리한 특정한 행동을 하게끔 유도하지요. 유전자의 관점에서는 숙주인 현재의 우리 '몸'의 생존보다 더 중요한 관심거리는 없습니다. 숙주인 몸이 살아있어야 유전자도 살수 있거든요.

하지만 이외에도 유전자가 생존할 수 있는 방법이 또 하나 있습니다. 다른 숙주로 건너가는 것이지요. 우리는 이를 생물학적으로 '유전자 교환'이라고 부릅니다. 인간의 일상 언어로는 임신과 출산이라고 하기도 하며, 생명 전체를 아우를 때는 '번식 활동'(Reproduction)이라고 표현하기도 합니다. 물론 번식은 한 개체의 유전자가 그대로 다른 숙주로 넘어가는 활동이 아니기에 이를 단순한 복제나 전달이라고 볼 수는 없습니다.

번식은 남자와 여자라는 이성(異姓) 간의 결합을 통해서 두 사람의 유전자가 섞이는 과정이거든요. 그래서 이를 유전자의 '교환'이라고 부릅니다. 유전자가 자신의 불멸(不滅)이 목적이라면 잔여 기대수명이 짧은 현재 숙주의 생존보다 비록 자신의 유전자 절반만을 가지고 있지만 잔여 기대수명이 훨씬 긴 다음 세대의 생존에 관심을 더 많이 가지게 될 가능성도 배제할 수 없습니다. 따라서 유전자의 관점에서는 개체의 생존만큼, 아니 그 이상으로 번식의 문제에 관심이 많을 수밖에 없으며 이 개념을 조금 더 확장한다면 동물이 가지고 있는 성욕(性欲, Sexual Desire)의 근원과 모성애(母性愛) 혹은 부성애(父性愛)의 개념, 더 나아가서는 이타주의(利他主義)라고 하는 관념적인 개념까지도 설명이 가능합니다.

  종교적이거나 영적인 차원의 경우, 현생의 생명보다 더 긴 내세의 영생이라는 개념을 믿기에 우리 유전자의 생존 우선 프로그램의 명령을 거부할 수 있는 것입니다. 즉, 유전자 프로그래밍에 의해 탄생한 뇌라는 사고(思考) 기관이 더 이상 프로그램 코드에 순응하지 않고 자체적인 판단을 한 것으로 설명할 수 있습니다. 유전자 프로그램 입장에서는 일종의 버그(Bug) 상황이겠네요. 하지만 양심이나 신념을 지키기 위해 죽음을 불사하는 것은 내세에서의 영생을 믿기 때문도 아닙니다. 이런 사람들은 대체로 무신론자들이거든요. 그렇다면 이것은 또 다른 유형의 버그이군요.

  잠시 옆길로 새자면 유명한 영화, '매트릭스'의 주인공인 네오도 잘 짜여진 시스템에 균열을 가져오는 버그였습니다. 네오는 '아키텍트'가 부여하는 수동적인 코드(Programming code)로서의 정체성을 거부하고 스스로가 가진 자유의지를 실현하기 위해 시스템을 거부하고 더 나아가서 이를 무너뜨리려 합니다. 시스템이라고 하는 큰 유기체의 입장에서 볼 경우 네오와 같은 존재는 집단의 안정을 해치는 일종의 악성 코드 혹은 암세포로 받아들여질 수도 있습니다.

하지만 네오의 입장에서는 자신이 집단의 피동적인 부속품임을 거부하고 자유의지를 가진 하나의 주체로서 자아실현을 이루는 매우 용기 있는 행동일 수도 있습니다. 따라서 이러한 행위는 그 동기와 결과, 그리고 시대적 상황에 따라서 때로는 용기로 추앙받기도 하고 때로는 아주 위험하고 과격한 범죄행위로 매도당하기도 합니다. 그럼 과연 무엇이 이들을 이렇게 행동하게 만드는 걸까요?

사실 이러한 역선택의 기저에는 창조적인 에너지가 아닌 파괴적인 에너지가 있습니다. 그것은 바로 분노의 감정입니다. 나라고 하는 개체의 안녕과 생존을 포기할 정도의 강렬한 분노 말이지요. 생물학적으로 유리한 환경에 대한 선호를 리비도(Libido)라고 표현한다면 이런 역선택의 문제는 타나토스(Thanatos)라고 할 수 있겠습니다. 사실 파괴를 향한 에너지는 창조를 향한 에너지 만큼이나 인간을 추동(推動)하는 강력한 동인(動因)입니다. 부조리한 세상과 불공정한 사회구조에 대한 참을 수 없는 분노가 '정의'라는 절대선을 구현하기 위한 명분으로 포장되어 이들의 행동을 자극하고 있는 것입니다. 이들이 느끼는 부조리함과 불공정함은 당연하게도 그들의 환경과 태생을 반영한 주관적인 판단이기 때문에 이것이 옳다 그르다 판단할 수는 없습니다. 때론 옳았을 때도, 때론 틀렸을 때도 있겠지요. 이런 상황들을 훗날 역사가들은 옳다 혹은 그르다 하며 기록하겠지만 이들 역사가들의 판단 역시 역사가 본인들의 주관의 함정을 벗어날 순 없겠지요?

잠깐 또 옆길로 새자면 선악(善惡)이라는 관념 자체도 몹시 모호한 개념입니다. 무엇이 선이고 무엇이 악인지는 시대에 따라, 지역에 따라, 기후에 따라, 환경에 따라, 상황에 따라, 문화권에 따라, 문명 발달의 정도에 따라 모두 다릅니다. 다만 기본적으로 인간의 집단생활에 있어 그 생존확률과 번식 가능성이 높아지고 이러한 안정적인 균형상태를 지속적으로 유지할 수 있는 상황 혹은 행위를 우리는 '선'이라고 불러왔습니다. 그리고 악이라는 개념은 이러한 균형 상태를 무너뜨리는 행위 혹은 상황을 지칭합니다. 따라서 각 집단이 처해 있는 환경에 따라서 선과 악은 유동적으로 바뀔 수 밖에 없습니다. 그렇기에 절대선(絶對善)이라는 이데아는 물질계에서는 절대! 찾을 수 없는, 말 그대로 관념의 영역입니다. 고고한 이데아의 세계를 현실에서 구현하기 위해 애쓰다 돌아가신 수없이 많은 동서양의 철학자들에게 후학인 본 저자가 심심한 위로의 인사를 건넵니다.

우리, 신념에 의한 역선택과 분노 이야기를 하고 있었지요? 분노는 정의롭지 않고 공정하지 않은 상황에서 나오는 폭발적인 에너지입니다. 따라서 분노는 사실 정의라는 개념과 짝지을 수 있습니다. 이렇게 잘못과 옳지 않음을 미워하고 반성하는 마음이 바로 '의(義)'라는 개념이에요. 동양철학에서는 이를 수오지심(羞惡之心)이라고 표현하였고 수오지심은 바로 사단(四端)의 하나인 '의(義)'와 짝지어집니다. 즉 의를 행할 수 있는 단초가 바로 잘못된 것을 미워하고 반성하는 마음이라는 것이지요. 그렇기에 분노라는 감정 자체를 향해 우리가 '분노'하거나 '혐오'할 필요는 없습니다. 이러한 파괴적인 에너지 분출도 우리의 생존 가능성을 높이기 위한 자연스런 메커니즘이니까요. '창조적 파괴', '파괴적 혁신'이라는 개념도 파괴가 가진 창조적 가치에 대한 새로운 시각입니다. 신념에 의한 역선택은 '인간'이라는 생명체가 생물학의 영역을 벗어나 조금 더 고상한 영역으로 비상할 수 있음을 암시하는 단서일지도 모릅니다.

우리는 이번 챕터에서 역선택의 문제를 다루어 보았습니다. 그리고 역선택의 역설을 이해하기 위해 이를 설명할 수 있는 몇 가지 가설들을 다루어 보았습니다. (생명의 창발성 차원, 종교적 혹은 영적 차원, 그리고 신념의 차원) 이러한 가설들을 다루는 과정에서 우리는 물리적인 한계에 갇힌 인간의 모습과 그것을 벗어날 길을 모색하는 인간의 상반되는 모습을 모두 엿볼 수 있었습니다.

살다 보면 역설적인 상황을 자주 접하게 됩니다. 그러나 그것 때문에 너무 괴로워하지 않아도 됩니다. 역설이야말로 인간의 가능성을 이끌어내는 동력입니다. 유전자의 프로그래밍을 거부하고 생물학적인 존재에서 더 높은 차원으로 비상하고자 노력하는 인간의 위대한 역설을 생각해 보십시오. 사실 천지(天地)가 운행하는 이치조차 어쩌면 역설일지 모릅니다. 천지는 냉정하게 순환합니다. 천지는 자신의 그릇 위에 올라탄 수많은 생명체의 존재를 인식조차 하지 않는 듯 해 보입니다.

천지의 목적은 그 위에 태운 존재를 위함일까요, 아니면 그저 자신의 존재 자체가 목적일까요? 알 수 없는 노릇입니다. 천지는 자신의 품 안에 수없이 많은 존재들을 담아 두고 그것을 낳고 한없이 자애로운 어머니처럼 존재들을 양육하지만 때가 되면 무서운 판관처럼 그 존재들을 다시 거두어 들입니다. 짧게는 봄이 되면 생명을 키우고, 가

을이 되면 생명을 거두어 들입니다. 좀 더 긴 차원에서는 태양을 여러 바퀴 순환하는 동안 인간을 길렀다가 거두어 갑니다. 조금 더 길게 보자면 몇만 년 혹은 몇십만 년의 주기로 빙하기와 간빙기를 거치며 자신의 그릇 위에 있던 다양한 종(種)들을 기르다가 어느 순간 체로 거르듯 멸종시키기도 합니다. 한편으로는 생명을 기르고 또 한편으로는 거두어 가는 천지의 운행이라는 역설을 우리는 어떻게 받아들여야 할까요?

너무 고민하지 마십시오. 인간과 자연 안에 잠재된 그 위대한 역설을 거부하지 말고 그 안에 용감하게 직접 들어가보는 것도, 있는 그대로 세상을 체험해 보는 것도 삶을 살아가는 중요한 지혜입니다. 일이 안 풀릴 때는 잠시 논리적 사고를 내려놓고 그 모순에 몸을 맡겨 보십시오. 장기적인 성패는 장담할 수 없지만 잠시 마음의 안정은 찾을 수 있을 겁니다. 저도 오늘 다이어트라는 심각한 실존의 문제를 떠나 잠시 치킨의 역설에 빠져 들어야겠습니다. 치킨은 살이 안 찌니까요.

정서적 요인 :

관계 맺기의 중요성

생물학적인 요인과 정서적 요인들을 비롯한 기타 요인들의 관계에 대해 꽤 긴 설명을 드렸습니다. 여러 논의점들에 대해서 말씀 드렸지만 '이 요소들이 밀접하게 연결되어 있지만 서로 다르게 발현될 수도 있다.' 정도로만 우선 이해해 두시고, 관심을 받고자 하는 정서적 요인에 대해서 조금 더 알아보겠습니다.

우리가 흔히 "아무개는 아무래도 '관종'인거 같아."라고 말할 때, 그 원인을 대부분 정서적인 결핍에서 찾을 정도로 정서적 요인은 '관종'을 설명하는데 있어 매우 중요한 요소입니다. 사실 유물론자인 저의 관점에서는 모든 정서적 원인조차 생물학적인 메커니즘에서 그 근원을 발견하게 됩니다만, 정서적인 영역은 가급적 비물리적인 영역에서 해석하고 싶어하는 우리 인간들의 정서?^^;;를 감안하여 이를 어느 정도 생물학적 요인에서 벗어난 관념적인 차원에서 분석해보겠습니다.

'타인의 관심을 받고 싶다'는 욕구는 기본적으로 인간이 가진 연결 지향성에서 기인합니다. 즉 누군가와 계속 이어지고 싶어한다는 욕망의 발로입니다. 이를 '관계 맺기'라고 하겠습니다. 우리가 관계를 맺고 싶어하는 대상은 이미 알고 있는 특정 소수에서부터 알지도 못하는 불특정 다수까지 다양합니다. 우리는 누군가와 끊임없이 소통하고 싶어합니다. 한자문명권에서 쓰이는 인간(人間)이라는 단어 자체가 '사람 사이'라는 의미입니다. 즉, 인간은 홀로 존재하는 것이 아니라 사람과의 관계 안에서 비로소 '인간'이라는 정체성을 파악할 수 있다는 의미이지요. 서양철학의 아버지격이라 할 수 있는 그리스의 소크라테스 선생께서도 '인간은 사회적인 동물이다.'라고 주장하였습니다. 관계 맺기와 소통을 지향하는 인간의 정체성에 대해서는 동서양 문화권이 모두 일치된 의견을 보이고 있습니다.

소통을 향한 우리의 욕구는 그 출력이 굉장히 강한 에너지 덩어리입니다. 유기체의 본질 자체가 바로 소통과 연결성에 있으니까요. 유기체를 구성하는 단위들은 그 하나 하나가 연관된 모든 기관과 소통을 하며 더 큰 상위 개체의 생존을 위해 각자 맡은 바 소임을 하게 됩니다. 이를 우리는 유기체의 본질로 이해하고 있습니다.

암세포의 맹목적인 증식 활동은 이러한 유기체 간의 소통에 문제가 생겼을 때 발생하는 비정상적인 상황입니다. 암세포는 스스로의 번성에는 최적화되어 있지만 같은 생활환경을 공유하는 다른 세포, 다른 기관들의 상황을 고려하지도 않고 관심을 주지도 않습니다. 즉 타자와 소통하지 않습니다. 타자와의 소통을 거부하는 이러한 암세포의 맹목적인 생존 전략은 단기적인 성공을 거둘 수는 있습니다. 아이쿠, 암세포가 성공적으로 증식하여 어떤 생물의 온몸 전체를 점령해 버렸군요. 드디어 암세포는 성공을 거둔 걸까요? 하지만 장기적으로 볼 경우 암세포의 무한 증식은 암세포가 거주해야 할 숙주 자체를 파괴시켜버리기에 이러한 생존전략은 암세포 본인 스스로에게도 좋지 않은 전략입니다.

우리가 살고 있는 지구까지도 더 큰 하나의 유기체라고 가정할 경우, 이 연결성과 관계 맺기의 규모는 더욱 커지게 됩니다. 인간이라는 개체 안의 개별 세포가 소통을 통해 인간의 생존이라는 최종 목적에 기여하듯, 우리 인간이라는 단위도 더 큰 전체 생태계의 생존과 안녕을 위하여 행해야 하는 더 큰 목적과 이유가 있는 것은 아닐까요? 그렇다면 우리 인간들도 인간들과 그리고 타종(他種)들과도 원활한 소통을 하며 타자의 안위와 생존에 관심을 가져 주어야 하는 게 옳지 않을까요? 사회의 암적인 존재가 되어 일신(一身)의 영달(榮達)을 추구하는 전략은 앞에서 말씀 드렸듯이 장기적으로 볼 때 본인 스스로에게도 좋은 전략이 아닙니다. 긴 안목으로 삶을 바라보는 현명함이 우리 모두에게 필요합니다.

불교에서는 삶에 존재하는 고통의 원인을 인간 내면의 악함 때문이라고 보지 않습니다. 기독교가 인간을 원죄(原罪)를 가진 나약하고 악성(惡性)을 가진 존재라고 보는 것과는 사뭇 다른 시각입니다. 불교가 파악한 인간이 가진 고통의 원인은 인간의 무지(無智)입니다. 알지 못하기 때문에, 어리석기 때문에 잘못된 판단을 한다는 것이지요. 우리가 우리를 둘러싼 무지의 장막을 걷어내고 현명함을 얻게 된다면, 그래서 진정 길고 원대한 시각을 가질 수 있게 된다면 현재 사피엔스 문명이 가진 수많은 문제점들이 쉽게 해결될 것입니다.

자신의 번성을 위해서 맹목적으로 폭주하는 암세포의 증식 과정은 암세포의 '악함'에서 기인하는 것이 아니라 소통이 끊겨진 상황에서, 전체적인 그림을 파악하지 못한 암세포의 단견(短見)과 어리석음에서 비롯되는 것입니다. 만약 암세포가 타 유기체들과 연결되어 있다면, 그래서 이들과 원활한 소통을 통해서 개체를 초월하는 더 큰 유기체의 존재를 인지한다면, 그리고 그 조화로움과 균형을 유지시키는 것이 오히려 본인의 장기적인 생존에 유리하다는 사실을 깨닫게 된다면 암세포는 무지의 상태에서 벗어나 지금까지의 맹목적인 증식 활동을 멈추고 이웃한 존재들과 소통하기 시작할 것입니다.

암세포는 지금껏 이웃들로부터 너무 적은 수준의 정보를 받아들이려 하는 한편, 숙주가 가지고 있는 리소스(Resource : 자원)의 너무 많은 부분을 차지하려고 했습니다. 하지만 무지상태에서 벗어나게 된 후 이웃들과 적절한 수준으로 정보와 리소스를 교환할 것이며 그렇게 유기체는 다시금 균형과 조화를 찾게 될 것입니다.

후에 기술하겠지만 이 책의 주제인 '관종' 행위는 여러모로 암세포의 활동과 닮아 있습니다. 인간이 가지고 있는 관심 받고자 하는 욕구는 그 자체로는 매우 자연스러우며 건강합니다. 다만, 그 욕구가 특정한 '환경'과 '조건'에 의해 과도하게 발현되어 생활환경을 공유하는 집단에게 불편을 주게 되는 시점부터 '관종' 행위는 암세포와 같은 파괴적인 패턴을 보이게 됩니다. 제가 이 책에서 전달하고자 하는 메세지는 우리가 본질적으로 가지고 있는 '관종' 에너지를 적절한 방향으로 유도한다면 우리 삶에 지혜와 행복을 가져올 수 있다는 것입니다. 그러기 위해서 우리는 인간이 어떤 상황과 조건에서 과도한 '관종'스러운 욕구가 튀어나오는지에 대해서 알아보아야 합니다.

최근에 제가 주목하고 있는 트렌드는 이러한 소통이라는 연결 지향성을 물질로까지 확장하고자 하는 움직임입니다. 바로 4차 산업혁명,

☰ '인너스트리 4.0'의 개념이지요. 4차 산업혁명은 기본적으로 연결을 지향합니다. 기계와 기계의 연결, 기계와 사람의 연결이지요. 최근 IT기술의 발달로 사람들 바로 곁에 있는 수많은 기기들과 디지털 자산들은 서로 쉽게 연결이 됩니다. WIFI, 블루투스 혹은 NFC나 RFID와 같은 기술을 통해 각각의 디지털 기기들은 실시간으로 데이터를 주고 받습니다. 기존에 컴퓨터와 스마트폰에 축적된 수많은 데이터와 프로그램들이 주변에 있는 수많은 디지털 자산들과 정보와 리소스를 교환합니다.

인간의 생체 정보를 파악하는 웨어러블 디바이스, 사람의 이동량과 동선, 주위의 교통량을 측정해주는 스마트카, 생활공간의 물리적 환경을 제어해주고 보안을 유지해주는 스마트 패드, 냉장고, 세탁기, 청소기 등의 가전에 부착된 디지털 기기, 그리고 실시간으로 한 가정 혹은 개인이 사용하는 전력량과 사용 패턴을 측정해주는 스마트 그리드까지. 이렇게 기기들이 교환한 정보는 AI 스피커라고 하는 일종의 허브시스템으로 통합되고, AI 스피커는 디지털 정보를 사람들이 쉽게 인지하고 활용할 수 있는 형태로 가공하여 제공하게 되며 사람은 그러한 정보를 통해서 스스로가 원하는 것을 결정하기만 하면 됩니다.

이것이 바로 '사물인터넷'(Internet Of Things)의 개념입니다. 연결이 유기체의 본질이고 유기체는 생명의 본질이라는 가정이 맞다면, 지금 이 '초연결'(超連結, Super Connectivity)의 시대는 물질조차도 생명의 영역으로 끌어들이고 있습니다. 그리고 약간 위험한 가정입니다만, 물질이 생명의 영역으로 들어온다는 것을 뒤집어 말하면, 생명이 물질의 영역으로 들어간다고 해석할 수도 있습니다. 그리고 사실 이것이 '인더스트리 4.0'에 숨겨진 실제 의미가 아닐까 생각합니다. '인더스트리 4.0'에 대한 논의는 뒷장 '유토피아 혹은 디스토피아' 장에서 조금 더 다뤄보겠습니다.

지금 우리는 연결과 관계 맺기의 이야기를 하고 있습니다. 관계 맺기를 기계로까지 확장하다니 제가 너무 멀리 나갔나요?^^;; 하지만 이게 다가 아닙니다. 심지어 우리는 지구에서 전파신호를 통해 누군가 있을지 없을지 모르는 광활한 우주 공간을 향해서도 우리의 존재를 알리고 싶어하니까요. 이른바 우리는 우주적 '관종'(?)의 시대를 열어가는군요. 사실 천체의 운행도 이 연결성이라는 개념을 적용해 설명이 가능합니다. 우주도 일종의 유기체라는 가정을 한번 해보겠습니다.

에너지를 끝없이 방출하는 태양(항성)이 하나 있고 그 태양이 발산하는 에너지와 중력에 종속된 여러 행성들이 있습니다. 이 행성들은 태양을 중심으로 끝없는 순환을 합니다. 행성들의 운동은 태양과 스스로의 질량과 중력의 크기, 태양을 중심에 두고 회전을 함에 따른 원심력과 구심력의 변화를 정확히 반영하여 일정한 좌표값을 만들어갑니다. 이것이 바로 행성의 궤도이지요. 만약 행성이 태양과 이러한 정보들을 교환하지 않고 홀로 운동을 계속할 경우 행성은 원심력에 의해 궤도 밖으로 튕겨 나가 우주를 떠돌던가, 혹은 구심력에 의해 태양 속으로 빨려 들어가 파괴되겠지요. 행성의 입장에서도 상위 유기체와의 소통은 생존과 직결된 문제임을 알 수 있습니다.

범위를 좀 더 크게 확장하여 은하계와 전체 우주 차원에서 생각해보아도 우주가 가진 유기체적인 속성은 여전히 확인됩니다. 태양계가 수없이 많이 모여 은하계를 이루고 다시 은하계가 무수히 모여서 전체 우주를 구성합니다. 태양계가 개별 세포라면 은하계는 기관, 우주는 개체에 해당되겠군요. 그럼 우주 위에는 또 무엇이 존재할까요? 여하튼 우리는 이런 식으로 우리의 의식을 유기체적인 관점에서 끝없이 비약시킬 수 있습니다.

관계 맺기가 유기체의 본질적인 활동이라는 점에 대해서 말씀 드리고 있습니다. 미시적인 차원에서는 세포의 예를 들어 보기도 했구요, 거시적인 차원에서는 우주의 예를 들어 보기도 했습니다. 그러면 이러한 관계 맺기가 우리 사람들의 비근(卑近)한 일상에서는 실제로 어떻게 활용되는지 조금 구체적으로 들여다볼 차례입니다.

우리가 관계 맺고 싶어하는 이유는 다양합니다. 남녀 간의 사랑, 정서적 안정감, 협업에의 필요성, 그리고 즐거움을 위해서. 이 항목들 중우선 남녀 간의 사랑부터 간단히 살펴보겠습니다. 남녀 간의 사랑은 정서적으로도 충분히 설명 가능합니다만 유물론자인 저의 관점으로는 사실 이는 생물학적인 원인에 훨씬 더 가깝습니다. 다만, 연애감정이라는 낭만적인 정서를 우수한 유전자 교환의 높은 가능성에 환호하는 인체 내부의 화학반응과 도파민, 세로토닌의 분비라는 건조한 설명으로 대체하고 싶지는 않군요. 그래서 남녀 간의 사랑이라는 로맨틱한 정서도 우리가 타인들과 관계 맺고 싶어하는 중요한 이유 중 하나라는 정도로 설명을 마치고자 합니다.

정서적 요인

정서적 안정감이라는 부분은 또 어떨까요? 정서적 안정감이라는 단어는 말 그대로 편안함과 안전하다는 느낌을 전달해줍니다. 엄마 품에 안기어 행복한 얼굴로 잠을 자고 있는 아기의 이미지가 떠오르는군요. 그리고 혼자가 아니라는 느낌, 외롭지 않다는 느낌, 도움이 필요한 순간에 누군가 옆에 있어줄 것이라는 믿음, 나의 기쁨이나 슬픔을 누군가와 함께 공유할 수 있다는 든든함.

우리는 정서적 안정감에 대해 위에서 나열한 이미지들을 가지고 있습니다. 하지만 이러한 이미지에서 풍기는 정서적인 느낌과는 달리 '정서적 안정감'은 오히려 생물학적인 설명이 더 잘 들어맞는 영역입니다. 편안하고 안전하다는 느낌은 생존에 있어 위협적인 요소가 제거된 상태에서 우리의 몸이 보내는 신호입니다. 즉, 현재 내가 처해 있는 상황은 의식주의 기본적인 욕구 해결과 안전에의 보장이 충분하다라는 믿음이 있을 때 나오는 시그널이라는 말이지요. 건조하게 설명을 하다 보니 이 역시 남녀 간의 사랑처럼 낭만이라고는 눈꼽만치도 없군요. 이 항목도 이쯤에서 설명을 마치는 게 여러분과 저의 정서적 건강을 위해 좋을 듯 합니다^^;;

① 관계 맺기 첫번째 : 협업 혹은 분열

지금까지 사랑, 정서적 안정 등에 대해 가벼이 살펴보았습니다. 몸풀기가 끝났으니 이제 본격적으로 관계 맺기의 중요성에 대한 핵심 주제에 대해 들어가겠습니다. 첫번째 주제는 바로 협업에의 필요성입

니다. 이는 어쩌면 다음 장에서 설명할 '놀이를 하고 싶어하는 인간'
이라는 논의 이상으로 중요할지 모르겠군요.

진화론적인 관점에서 인간이라는 종(種)의 생존 전략은 크게 '지능
의 개발'과 '협업'으로 발현되었습니다. 이 두 요소는 상호보완적으로
작용하며 계속 상승효과를 나타냅니다. 지능의 발달로 말미암아 동
료 집단과 커뮤니케이션 할 수 있는 범위와 방법이 늘어나게 되고, 이
러한 협업은 다시 집단지성의 발현으로 종(種)의 지능 개발을 가능케
해줍니다.

우리 호모 사피엔스 종은 육체적으로 보았을 경우, 진작 도태될 수
도 있었을 만큼 생존에 있어 매우 취약한 면을 많이 가지고 있습니다. (앞
의 장에서 설명 드렸던 큼직한 머리를 가지고 태어나는 것 자체만으로
도 생존에 있어 굉장히 큰 핸디캡입니다.) 그러나 동료집단과의 협업
을 통해서 여타 종(種)들과는 비교가 힘들 정도로 이 땅에서 크게 번성
하였습니다. 척박한 천지(天地)에서 한정된 자원을 두고 타 종들과의
힘겨운 사투를 벌여 나가던 몇십만 년의 시간 동안 사피엔스 종은 스
스로의 생존을 위해 협업하는 방법을 배우기 시작했습니다. 수렵, 채
집, 안보 활동, 주거환경의 개선 등에서 혼자서는 도저히 엄두를 못 내
던 활동들이 여럿의 협업을 통해 가능해지기 시작했습니다.

아주 어릴 적에 맘모스를 사냥하던 원시인의 그림을 보고 큰 충격을
받았던 기억이 있습니다. (우리 선조님들의 용감함과 빈틈없는 팀워크
에 존경을 표합니다.) 협업을 하는 집단의 범위가 커지면 커질수록 할

수 있는 활동의 스케일은 점점 더 커지고, 활동의 내용은 좀 더 정교해 졌습니다. 이러한 협업을 통해 야생에서의 생존확률이 높아지고 안보 환경이 안정되자 우리의 오랜 조상들은 드디어 정착을 하여 농경생활 을 시작하게 됩니다. 바야흐로 문명(文明)이 시작되었습니다.

이 단계에서 이미 우리 사피엔스 종은 야생에서 타종(他種)들의 도 전을 크게 두려워하지 않게 되었습니다. 사피엔스 종의 협업은 물리 적인 안보 측면에서도 매우 탁월한 실전 효과를 입증해 내었거든요. 혼자서 혹은 대여섯 명이나 여남은 명의 작은 무리로서는 도저히 방 어해낼 수 없던 야생의 거친 들짐승들의 공격을, 수십 명 혹은 그 이 상의 숫자가 연대하게 되자 효과적으로 막아낼 수 있었습니다.

이렇게 생활방식을 공유하는 군집이 수백 단위 이상으로 확장될 수 있는 포유류는 사피엔스 종 밖에 없을 것입니다. 수백 단위 이상의 개 체가 같은 생활방식을 공유하기 위해서는 기초적인 수준을 뛰어넘는 고등한 커뮤니케이션 수단이 필요하기 때문이지요. 바로 이 지점에 서 고등한 언어가 탄생하기 시작합니다. 앞서 잠깐 말씀드렸듯이 사 피엔스 종이 채택한 생존 전략은 '지능의 개발'과 '협업'이며 이 요소 는 상보적인 관계를 통해 끊임없이 상승작용을 합니다. 언어의 발달 이야말로 이러한 관계를 잘 설명해주는 대표적인 결과물이라고 생각 합니다.

더욱 더 다양하고 더욱 더 복잡하고 더욱 더 큰 규모의 협업을 위해 서 우리는 더욱 더 정교한 언어 체계와 고도로 관념화 된 추상언어들을 개발하게 되었습니다. 그리고 이러한 강력한 소통 수단은 다시 더 정교한 협업을 가능케 했겠지요. 이러한 대규모 협업의 결과로 사피엔스 종은 야생에서 가장 위협적인 종이 되었으며 생태계 먹이사슬의 정점을 차지하게 되었습니다. 자, 이제 우리 선조들은 모든 과제를 다 해치우고 정점에 서 버렸으니 해피엔딩이겠군요. 동화에서처럼 '그리고 그들은 행복하게 살았답니다.'하고 마무리가 되는 걸까요? 하지만 그들에게는 지금까지의 경쟁보다 더 큰 도전이 남아있었습니다. 이전의 경쟁보다 훨씬 더 치열하고 피비린내 나는 비정한 경쟁이 말이지요.

한정된 자원을 두고 경쟁하던 사피엔스 종은 결국 타종들을 압도하고 본인들이 거주하고 있는 지역에 대한 기득권을 확보하였습니다. 그리고 기득권의 확보는 사피엔스 종의 번성을 가지고 왔지요. 이러한 번성은 같은 생활방식을 공유하던 기존의 씨족 단위 군집의 크기를 크게 확장시키게 됩니다.

한 지역 내에서 하나의 종(種)이 번성할 수 있는 허용범위는 어디까지일까요? 자본주의 사회의 시장(市場)도 그렇지만 자연 역시 자원의 낭비나 비효율을 허락하지 않습니다. 동일한 지역 내의 한계생산성이 체감하기 시작하면 자연은 그 이상의 숫자를 허용하지 않습니다. 이는 씨족의 팽창과 분리라는 패턴을 가져오게 됩니다. 즉, 그 지역이 제공하는 생산량이 그 곳에 거주하는 모든 거주민들의 의식주를 해결해 주지 못하게 되는 순간 그 초과분에 해당하는 거주민은 터전을 떠나야만 합니다.

정서적 요인

물론 누가 떠나가야 하는지를 결정하는 과정은 쉽지 않았을 겁니다. 아마도 당시의 권력 헤게모니나 생산에 대한 공헌도 혹은 종교적 이유 등 여러 이슈들에 대한 복잡한 정치적 논의를 거쳐 결정되었을 겁니다. 여하튼 이런 식으로 기존 지역에서 떨어져 나온, 혹은 추방된 씨족 집단들은 생존을 위해 다른 지역으로 이동하게 됩니다. 그리고 우리는 이를 역사책에서 인류의 이동이라는 그림으로 확인할 수 있습니다. 아프리카에서 유럽과 아시아로, 아시아에서 태평양과 북미대륙으로 인류는 끊임없이 이동하였습니다.[5]

그 뿌리에는 같은 조상이 있다고 해도 더 이상 생활방식과 거주공간을 공유하지 않는 분리된 씨족은 다른 씨족과의 연대감이 급격하게 떨어지게 됩니다. 더욱이 물리적으로 분리된 상태에서 몇 세대 이상의 시간이 지나간 후 마주치게 되었을 때 서로를 보는 관점은 피를 나눈 친척이 아닌 자원을 두고 다투어야 하는 경쟁자에 다름 아닙니다. 당시의 초보적인 기록 시스템(문자가 없던 시절이었기에 구전되어온 가계(家系)의 전설이겠지요?)을 상상해보면 이렇게 조우한 씨족들은 서로가 서로의 친척임을 인지조차 하지 못했을 가능성이 큽니다. 설령 인지했다 해도 그 결과는 크게 다르지 않았겠지만서도요. 이제 이들의 조우는 반가운 친족들 간의 회합이 아닌 낯선 이들에 대한 두려움과 자신이 누리는 자연의 생산물을 뺏길지도 모른다는 불안감이 가득한 불편한 마주침이었을 겁니다. 사피엔스 종의 투쟁은 이제 외부

---

5 우리는 역사책에서 인류의 이동을 새로운 지역을 개척하는 '프론티어' 정신으로 배웠습니다만, 사실 이러한 이동은 모험가들의 능동적인 개척이라기 보다는 패자들의 수동적인 추방에 가까웠을 겁니다. 그리고 이렇게 역사에서 기록되지 않은 이들 이주민들이 방랑길에서 겪은 고난과 슬픔의 드라마와 예기치 못했던 수많은 모험과 이를 헤쳐 나갔던 영웅담은 구전 형태의 서사시가 되어 각 문화권의 신화의 모태가 되었을 것입니다.

에서 내부로 그 방향이 바뀌게 됩니다.

사피엔스 종의 투쟁 방향이 종(種)내부를 향하게 되자 협업의 필요성은 더욱 커지게 됩니다. 이제 우리 선조들의 투쟁 대상은 지능과 협업 수준이 떨어지는 야생의 들짐승이 아니라 동등한 수준의 지능과 협업 능력을 갖춘 동일한 종(種)이니까요. 다른 씨족들과의 경쟁(이들의 경쟁은 자원을 두고 다투는 경쟁이기에 이 당시 씨족 간의 경쟁은 전투 상황이라고 보아야 합니다.)에서 이들을 압도하려면 더 큰 규모의 집단을 구성하거나 집단의 움직임을 효율적으로 통제할 전술이 필요했을 겁니다. 이를 위해 타종(他種)들과의 경쟁 때와는 비교할 수 없을 정도로 고도화된 협업 시스템이 필요해졌습니다.

협업 시스템의 근간은 원활한 커뮤니케이션입니다. 특정한 목적을 행하기 위해 협업(전투, 수렵, 일상적 안보 활동 등)을 할 때 상대방과의 소통은 필수적입니다. 그리고 협업이 성공한 후의 전리품 분배나 논공행상에 있어서도 공헌도를 평가하기 위한 서로 간의 소통이 필수적입니다. 아직 잉여생산물이 충분히 확보되지 않았던 이 시절의 분배 형태는 꽤나 공정하지 않았을까 싶네요. 아마 원시공산사회의 형태를 띄지 않았을까요? 이 당시의 분배 현장을 상상해본다면 협업의 기여도와 공헌도에 따라 분배의 양이 결정되었을 겁니다.

그런데 이 협업의 기여도는 누가 보기에도 명확한 기여가 있을 수도 있겠지만 애매한 경우도 많고 간접적인 경우도 많았을 것이고 보이지 않는 공헌도 있었을 겁니다. 그러면 어떻게 이것을 판단할까요?

이 모든 과정을 하나도 빠짐없이 지켜보는 현명한 장로(長老)가 있다면 각각의 역할에 대한 직간접적인 기여도를 정확히 계산하여 공평무사하게 전리품 분배를 지시하면 되겠지만 독자 여러분들이 생각하시기에도 이런 가정이 판타지스럽다는 것을 아실 겁니다.

 공평무사(公平無私)의 '철인왕'(哲人王)이 있지 않은 이상 협업의 논공행상의 윗자리는 가장 스포트라이트를 많이 받고 동료들의 관심과 주목을 끈 행위를 한 사람이 받았을 겁니다. 실제로 그 사람의 기여도가 컸을 확률도 크지만 반드시 그렇지는 않았을 겁니다. 하지만 사람들은 겉으로 드러나는 이미지를 그 실체 이상으로 더 믿는 경향이 많습니다. 예나 지금이나요. 동료집단의 관심을 갈구하는 인간의 기본적인 욕구는 이미 이 시절에 거의 완성된 것 같습니다.

 이렇듯 협업은 관계 맺기의 중요한 이유입니다. 협업의 과정 뿐만 아니라 협업 후의 분배까지 포함해서요. 어쩌면 관계 맺기의 이유가 협업이라고 표현할 수도 있을 만큼 협업은 중요한 요소입니다. 한가지 흥미로운 사실은 협업이 사피엔스 종(種)내의 특정한 씨족에게는 번성을 가져왔지만 다른 씨족들에게는 오히려 재앙으로 다가왔을 가능성이 있다는 것입니다. 즉 협업을 제대로 이루지 못해서 협업이 잘된 타 씨족들에게 패배한 집단은 그대로 멸절되었을 가능성이 있으니까요. 성공한 협업은 그 과업을 완성한 집단에게는 축복이지만, 그렇지 못한 다른 씨족들을 없애 버리며 사피엔스 종의 유전자 풀을 더욱 좁게 만들었을 가능성이 있습니다. 현대적인 용어로 표현한다면 '선택과 집중'이 되겠네요.

이러한 자연의 '선택과 집중'이라는 진화론적인 과정이 사피엔스 종 전체에게 도움이 될 것인지, 해가 될 것인지는 지금의 짧은 몇십만 년의 데이터베이스로는 판단할 수 없습니다. 아주 긴 시간이 지난 후에야 이에 대한 정확한 평가가 내려지겠지요. 다만 그 평가를 하는 주체가 우리 사피엔스 종(種)일 확률은 0에 가깝겠지만요.

② 관계 맺기 두번째 : 놀이를 하고 싶어하는 인간

이제 관계 맺기 두번째 차례입니다. 앞서 살펴본 협업 만큼, 혹은 그 이상으로 중요할 수 있는 요소이지요. 바로 '즐거움을 위해서'입니다. 즐거움[6]을 위해서라는 이유를 좀 경박하게 표현해 보자면 곧 우리는 현재 상태가 매우 심심하기에 동료집단과 관계를 맺고자 한다는 말입니다. 제가 좀 장난스럽게 표현했지만 관계 맺기의 중요한 이유가 심심해서라는 말은 농담이 아닙니다. 사실 이 심심하다는 이유는 인류 문명에 매우 강력한 창조적 에너지를 제공해왔습니다.

인간을 '정의'하는 수많은 '정의'들이 있지만 그 중 제가 가장 좋아하는 표현이 바로 '호모 루덴스'입니다. 이는 네덜란드의 문화 사학자, '요한 호이징가(Johan Huizinga, 1872~1945)'가 주창한 개념으로 놀이를 인간이 가진 본질적인 요소로 받아들이는 개념입니다. 놀이를

---

[6] 이 책에는 앞으로 즐거움 외에 흥미라는 표현도 자주 등장하게 됩니다. 기술적으로 두 단어는 분명히 다릅니다만 이 책에서는 큰 차이 없이 혼용해서 사용하고 있으니 참고 부탁드립니다.

문화에 종속된 개념이 아닌, 오히려 문화를 창조해내는 핵심적인 동력으로 파악한다는 것이지요.

사실 개인적으로 '루덴스'라고 하는 발음을 좋아합니다. 왠지 '루덴스'라는 어감에는 한가로운 오후, 따스한 햇살과 미풍을 맞으며 유칼립투스 나무 위에 늘어져 있는 코알라가 연상되거든요. 저는 제 인생이 호모 루덴스의 어감에서 풍기는 여유로운 축제 같은 날이 되기를 바라고 있으니까요. 사실 약간 쑥스럽긴 하지만 제가 이 책을 쓰고 있는 이유 중에 하나도 이 책이 저에게 여유로운 축제 같은 삶을 살아가게 해줄 수 있기를 바라기 때문이지요.

인간이 가진 생존을 위한 1차적 욕구가 지속적으로 충족된다면 결국 우리가 끝까지 갈구하게 될 것은 유희(遊戲)에 대한 욕구일 것입니다. 심심함을 단순히 무료하다는 수동적인 환경으로 받아들인다면 우리는 인간이 가진 가장 중요한 요소를 놓치고 맙니다. 인류 역사를 통틀어 인간에게 심심함은 그저 묵묵히 받아들여야 하는, 수동적으로 주어진 상황이 아니라 적극적으로 극복해야 하는 요소로 인식되었습니다. 그러기에 여기에서 모든 문화, 아니 위대한 놀이가 파생되었습니다.

음주와 가무, 연극과 문학, 미술과 관광, 축제와 도박, 스포츠와 과학까지 이 모든 놀잇거리들은 모두 인간이 가진 견뎌낼 수 없는 심심함을 이겨 내기 위한 위대한 도구들입니다. 잠깐, 과학까지도 놀이라구요? 이 머리 아픈 과학이란 학문이 왜 놀이가 되는 걸까요? 이유는 단순합니다. 그것을 놀이로 여기는 사람들이 있으니까요. 대부분의 사람들에게 과학은 한없이 따분하고 복잡한 과목일지 모릅니다. 우리들 대부분은 과학 발전에 기여를 하지 않고 있으면서도 과학이라는 멋진 도구가 제공하는 물질문명의 편리함을 누리고 있지요.

하지만 순수 과학의 발전을 이끌어온 소수의 사람들에게 과학은 더없이 흥미로운 놀잇거리입니다. 응용 과학은 조금 다른 차원일 수 있지만 순수 과학의 경우 물질의 운동 원리를 찾아내고자 하는 인간의 동기는 다름 아닌 자연현상에 대한 호기심입니다. 그리고 이에 대한 관찰과 가설의 수립, 이에 대한 검증 과정과 검증의 결과가 자신이 세웠던 가설이 맞았음을 가리키는 이 짜릿한 과정은 그들에게 세상 그 무엇보다도 재밌는 놀잇거리일 것입니다. 이 배움과 즐거움의 관계는 매우 중요하므로 뒤에서 조금 더 살펴보겠습니다.

인간에게는 행동을 유발하는 강력한 정서적 모티브들이 있습니다.[7] 공정, 복수, 대의 등의 관념적인 개념들이지요. 하지만 흥미라는 요소는 그 어떠한 것보다 더 강력한 동기 부여자입니다. 인간의 행동을 특정 방향으로 유도하고자 한다면 '흥미'와 '단계적 성취'를 적절히 조합해서 제공해주는 것 이상으로 좋은 방법은 없습니다. 복수나 공정, 정의 등의 추상적인 모티브는 휘발성이 강해 지속되기 어렵습니다. 물론 초인적인 의지만으로 이를 극복한 예가 있기는 합니다.

---

[7] 물론 이러한 정서적인 모티브들보다 기본적인 생존을 위한 생물학적인 모티브가 더 강력한 동기부여가 될 수 있겠지만 이번 장은 정서적인 부분을 다루고 있기에 생물학적인 모티브는 제외하고 말씀을 드립니다. 하지만 서두에 말씀드렸듯이 정서적인 부분과 생물학적인 부분은 서로 애매하게 겹쳐 있는 부분이 많아서 명확하게 구분하기는 어렵습니다.

예전 중국의 춘추전국시대에 오나라의 왕 '부차'는 아버지인 선왕 '합려'를 죽인 월나라왕 '구천'에 복수하기로 마음먹습니다. 그래서 왕으로서 누릴 수 있는 오감의 쾌락과 즐거움을 멀리하고 오직 복수를 위한 부국강병책에만 몰두하지요. 하지만 '즐거움'을 기준점으로 한 인간의 행동 메커니즘을 오로지 의지만으로 극복하는 것은 너무나도 어렵습니다. 그래서 본인의 의지(意志)에만 의지(依支)하지 않고 이 복수심을 지속시킬 수 있게끔 곳곳에 장치를 마련합니다.

그는 푹신하고 안락했던 본인의 침상을 걷어 치우고 거친 장작더미(땔나무신 : 薪)위에 불편하게 누워(누울 와 : 臥) 잠을 잡니다. 그리고 이 불편함의 원인을 월왕 '구천'이라고 매순간 되뇌이며 증오와 복수의 감정을 계속 주입하는 것이었지요. 오왕 '부차'는 복수라는 정서가 갖고 있는 휘발성을 인지하고 있었기에 이를 인정하고 대비책을 만들어 둔 것입니다. 결국 오왕 '부차'는 복수에 성공해서 월왕 '구천'을 포로로 잡게 되었지만 월왕의 비굴한 항복 선언을 받아들이고 구천을 풀어줍니다.

자, 이제 공수(攻守)가 바뀌었습니다. 이제 월왕 '구천'이 자신의 치욕을 갚기 위해 복수를 꿈꿉니다. '구천' 역시 복수라는 감정이 지속될 수 있게끔 장치를 마련합니다. 곳곳에 쓰디 쓴 짐승의 쓸개(쓸개 담 : 膽)를 달아두고 이를 핥으며(맛볼 상 : 嘗) 스스로에게 고통을 줍니다. 그리고 이러한 고통의 원인을 오왕 '부차'에게 돌리며 복수를 다짐하지요. 결국 이러한 초인적인 노력으로 인해 월왕 '구천'은 결국 복수에 성공합니다. 이렇게 복수를 위하여 장작 더미에서 잠을 자고

(와신 : 臥薪) 쓸개를 핥아 먹던(상담 : 嘗膽) 고사가 바로 우리가 잘 아는 와신상담입니다.

느낌이 어떠신가요? 흥미와 복수가 인간의 행동을 유발하는 모티브라는 점은 같지만 그 에너지의 크기와 작용 과정이 꽤 다르지요? 흥미는 즐겁고 스스로 자극이 되어 저절로 할 수 있는 건강한 에너지이지만 복수와 같은 정서는 그 과정과 결과가 너무 처절하기에 건강한 방향의 에너지 분출이라고 보기 어렵습니다. 그리고 그 맹목성 때문에 본인은 물론 주위 사람들의 삶까지 비참해질 수 있습니다.

흥미는 이와 달리 스스로 추진력을 얻습니다. 곳곳에 쓸개를 달아두거나 일부러 침대 밑에 딱딱한 짚더미를 집어넣는 등 쓸데없는 에너지 낭비를 할 필요가 없습니다. 흥미는 자가발전하는 모터입니다. 흥미를 느끼게 된다면 우리는 스스로 알아서 행동하게 됩니다. 누가 하지 말라고 말려도 하게 됩니다. 이러한 욕구는 1차적인 생존에의 욕구와 직접적으로 관계가 없기에 더욱 흥미롭습니다. 아, 그러고 보니 저는 이런 것을 파헤쳐가는 과정에서 '흥미'를 얻는 사람이군요^^;;

지금까지의 논의를 살펴보면 즐거움 혹은 흥미라는 요소가 인간 행동과 문명에 얼마나 지대한 영향을 끼치는지 알 수 있습니다. 저는 공부나 운동, 예술은 물론 사업에 있어서도 성공의 핵심 요소는 '흥미를 지속시킬 수 있는 능력'이라고 봅니다. 해당 분야에 대한 타고난 재능이나 인내심 같은 요소보다도 이 '흥미를 지속시킬 수 있는 능력'이야말로 성공의 핵심입니다. 이 흥미라는 요소는 본인이 갖고 있는 재능이나 인내심을 극대화시키게 해주거든요.

부모님들이 아이들에게 무조건 참고 공부하라고 하면서 인내심을 강요하는 것은 아주 비효율적인 방식입니다. 저는 여기서 타인에게 인내심을 강요하는 행위가 '옳다, 그르다'라는 규범적 가치판단을 하지 않고 있습니다. 다만 이러한 행위 자체가 투입하는 자원 대비 산출되는 결과물이 적다는 '생산성'에 기반한 진술을 하고 있습니다. 정말 싫은 무엇인가를 억지로 참고 한다는 것에는 굉장히 많은 에너지가 들어갑니다. 즐겁지가 않기에 더 잘하고 싶은 생각도, 무언가 창의적인 것을 시도해 볼 의지도 생기지 않습니다. 그리고 인내심에는 한계가 있습니다. 인내심을 남용하다 보면, 무언가 나중에 진짜로 해 보고 싶은 게 생겨도 정작 그때가 되면 나에게는 그런 것을 시도할 에너지가 남아있지 않습니다. 싫은 것을 억지로 참고 하는데 에너지를 이미 모두 써버렸으니까요.

해 보고 싶어서 하는 일은 에너지 1단위를 쏟아부으면 결과물 2단위가 튀어나옵니다. 재미있으니까 이것 저것 새로운 것도 시도해 보고, 업무 안에 내재되어 있는 비효율적인 과정도 새로운 방식을 통해서 조금씩 개선해 나가기 마련이니까요. 그리고 크게 힘이 든다는 생각도 안 듭니다. 그런데 하기 싫은 일의 결과물 1단위를 산출하기 위해서는 나의 에너지 2단위가 필요합니다. 잘하는 게 아니라 그냥 평범한 결과를 내기 위해서만도 나에게는 두배의 에너지가 필요하다는 겁니다. 그것을 해내는데 필요한 에너지 1단위에 그것을 참고 견디는데 필요한 에너지 1단위가 추가로 들어가니까요. 그리고 어떤 경우는 이러한 강제적인 방식이 저효율을 넘어서 역효율이 날 수도 있습니다. 다시 한번 기억을 상기시켜드리겠습니다만 천지의 운행 원리 자체가 비효율을 극도로 싫어합니다.

사실 저는 사람마다 인내심의 차이는 크지 않다고 봅니다. 예를 들어 어떤 학생이 밤새 수학문제를 푼다고 가정해 봅시다. 남들이 보기에 그 학생은 대단한 인내심을 갖고 있는 사람으로 보이지만 막상 본인에게는 그게 그리 힘든 일이 아닐 수 있습니다. 즉 그 사람은 남들보다 그 행위에 대한 흥미 요소가 남들보다 더 크기에 그 행위를 하는 데 그리 많은 인내심과 에너지가 들어가지 않아요. 그 학생이 남들보다 특별히 더 인내심이 강하기에 그것을 지속할 수 있는 게 아니라는 겁니다.[8]

이런 학생들은 선천적으로 지적 활동에 대해 큰 호기심을 가지고 있습니다. 그래서 배움이나 학습에서 저절로 흥미를 느끼게 됩니다. 또한 여기에 더해 흥미를 지속시킬 수 있는 장치를 곳곳에 스스로 잘 마련해 두었기에 그 과업을 꾸준히 유지하는 것이 가능합니다. 이러한 장치는 와신상담의 예에서처럼 고통과 분노의 유발을 통해 지속력을 유지하는 게 아닙니다. 해야 할 일들의 곳곳에 달성 가능한 목표들을 잘 배분해 두고 그것을 달성할 때마다 적절한 성취감과 만족을 느낄 수 있는 시스템을 구축해두는 과정을 본능적으로 잘 해내고 있는 것

---

[8] 이 부분은 사실 논란의 여지가 있습니다. 인내심과 흥미의 선천적인 차이를 부정하지는 않습니다. 그리고 그 학생의 의지력이 실제로 더 클 가능성도 있습니다. 다만 공부를 열심히 하는 학생들의 경우 다른 학생들보다 상대적으로 공부에 대한 피로감을 덜 느끼고 공부에 대한 동기부여가 더 잘 되어있다는 것은 사실입니다. 그 동기부여가 흥미의 요소 일수도 있고 성취에 대한 것 일수도 있고 미래에 대한 기대감처럼 각각 다를 수는 있겠습니다만.

입니다.

자기 안에 이러한 보상 시스템을 효과적으로 잘 만들어내는 친구들이 바로 공부를 잘 하는 친구들입니다. 이들은 자기가 무엇에 흥미가 있고 그 흥미가 얼마나 지속될지, 얼마 후에 흥미의 강도가 감소할지, 그리고 그때가 오면 이것을 채우기 위해서 어떤 보상을 얼마의 주기를 통해 해주어야 하는지 잘 알아요. 요즘말로 하자면 이들은 스스로에 대한 '메타인지'가 발달한 아이들입니다. 이 친구들은 공부를 놀이처럼 만들어내고 있습니다. 이들이 결코 남들보다 더 강한 초인적인 인내심을 가졌기에 이러한 과업을 묵묵히 수행하는 게 아니란 거지요.

만에 하나 밤새 수학문제를 푸는 아이가 여기에 해당되지 않고 정말 말 그대로 와신상담하며 초인적인 인내력으로 이를 수행한다면요? 매우 슬픈 예측입니다만 지금의 과정은 이 아이의 전체적인 발달과 건강한 인격형성에 매우 안 좋게 작용할 것입니다. 균형이 무너진 상태에서 학업성취라는 특정 영역의 활동만을 강조하게 된다면 이 아이의 남은 인생에서 이 시기가 매우 큰 트라우마로 남게 될 것입니다.

그렇기 때문에 만에 하나 이런 억지 춘향이 방식을 통해 단기적인 학업성취에 있어 성공을 하더라도 이 친구의 전체적인 인생은 행복하지 않을 가능성이 크며 장기적으로 보면 학업성취 역시 오히려 더 뒤쳐질 수 있습니다. 우리 공자님께서도 배움에 있어 늘 이 부분을 강조하셨습니다. 아는 것보다 그것을 좋아하는 게 더 중요하고, 좋아하는 것보다 그것을 즐기는 것이 훨씬 더 중요하고 말이지요. (知之者는 不

如好之者요, 好之者는 不如樂之者라.)

무엇인가에 푹 빠져 있어야, 그래서 그것을 미칠 듯이 즐겨야 사람이 갖고 있는 잠재력을 다 끌어낼 수 있습니다. 이렇듯 하고자 하는 대상에서 흥미를 이끌어내는 과정은 매우 중요합니다. 마치 놀이처럼 즐거워야 한다는 것이지요. 그리고 이에 대한 내용은 뒤에 나올 '육아 및 교육' 부분과 결합되어 이 책의 핵심적인 메시지를 구성하게 되니 추후에 조금 더 다뤄 보도록 하겠습니다.

우리는 지금 관계 맺기의 두번째 이유, '즐거움'에 대해서 이야기하고 있습니다. 그리고 이 즐거움이 생산성과 연관된다는 이야기를 하고 있었고, 배움에 대한 이야기도 하고 있었지요. 배움과 같은 지적 유희가 대단히 즐거운 놀이 활동일 수 있겠지만 이는 소수의? 사람들에게만 적용되는 것인지도 모르겠습니다.

사실 우리 대다수의 사람들은 이런 학습활동이나 창작 활동, 예술 활동에서 즐거움을 얻기 보다는 사람들과 함께 하는 놀이에서 큰 즐거움을 느낍니다. 과거 우리의 사피엔스 선조들이 일상적으로 해오던 놀이는 그 놀이를 통한 즐거움 자체가 주된 목적이었습니다. 물론 특정 놀이들은 동료집단과의 단합, 팀워크 향상, 사회질서의 함양, 생존을 위한 기술의 연마 등 배후에 숨겨진 의도가 있을 수 있겠지만 그 목적하는 바와 관계없이 이런 놀이들은 그 자체만으로도 즐겁습니다. 그리고 사람들 간의 관계에서 오는 즐거움은 혼자 하는 놀이의 즐거움보다 훨씬 더 큽니다.

영화 '올드보이'의 주인공 오대수씨를 생각해봅시다. 그는 15년 동안 감옥에 갇혀서 타자와의 교류를 차단당합니다. 일반 감옥은 동료 죄수들끼리 교류라도 가능하지만 그는 독방에 갇혀서 홀로 지냅니다. 물론 생존을 위협받을 일은 없습니다. 기본적인 의식주에 대한 욕구는 해소가 가능하니까요. 그리고 티브이를 통해서 재미난 예능 프로그램도 볼 수 있고 교양 프로그램을 통해 무언가를 배우면서 '지적 유희'를 즐길 수도 있습니다.

하지만 그는 왜 그리 고통스러워 할까요? 그렇습니다. 사람들과 소통하지 못해서 입니다. 심심하다는 문제는 소수의 괴짜들[9]에게는 혼자서 해결할 수 있는 문제일지 모르겠지만 평범한 대다수의 사람들에게는 절대 혼자서 극복할 수 없는 문제입니다. 대다수의 사람들은 사람들과의 소통을 통해서만이 이 처절한 실존적인 '심심함'의 난제를 극복할 수 있습니다.

스마트폰 하나만 있으면 얼마든지 혼자서 잘 놀 수 있다구요? 스마트폰의 본질은 '타인과의 연결성'입니다. 누군가와 통화를 하고 톡을

---

9 우선 정치적으로 올바르지 않을 수 있는 단어를 사용한 점에 양해를 부탁드립니다. 저는 '괴짜'를 좋다, 나쁘다의 가치판단적 의미가 아닌 대다수의 사람들의 행동양식과는 다르다는 의미로 사용하였습니다. 사실 이러한 사람들의 행동 패턴과 모티브에 대한 사회학적 연구가 많이 나왔으면 좋겠다는 생각을 합니다. '히키코모리'는 이미 21세기에 익숙해진 인간의 행동패턴이지만 그럼에도 불구하고 여전히 이질적인 문화로 여겨지고 있습니다. 과연 이들이 정말로 사람과의 관계를 다 차단하는 것을 원하는 것인지, 아니면 관계에 지쳐 잠시 쉬고 있는 것인지, 사람과의 관계를 차단해도 경제적으로 생존하는데 문제가 없기 때문에 이런 행동이 나오는 것인지 궁금합니다. 혹은 과학기술의 발달로 혼자 틀어박힌 방안에서도 다른 사람들과의 소통이 가능해졌기에 이것이 물리적 현실에서의 소통 욕구를 대체해 준 것으로 해석할 수 있는지도 궁금하구요. 후학들의 분발을 통해 이러한 사실을 알 수 있기를 기대합니다.

보내고 밴드와 각종 소셜 서비스를 통해서 지인들과 정보를 주고 받고 인터넷에 접속해 세상이 돌아가는 정보를 내려 받고 나의 소식을 업데이트한 후 거기에 반응을 보이는 지인들의 반응에 다시 반응하는 것이 스마트폰 유저들의 일상 활동입니다.

컴퓨터 게임도 마찬가지입니다. 단순히 프로그래밍 된 스토리를 대상으로 혼자서 묵묵히 퀘스트를 실행하는 것은 재미가 없습니다. 온라인으로 여러 유저들이 한꺼번에 플레이를 하면서 서로 채팅을 통해 소통을 하고 길드를 만들어내고 때론 협력도 하고 때론 뒤통수를 치는 예측 불가능한 다양한 상황이 유저들을 게임에 빠져들게 만듭니다. 여러 유저들이 소통하면서 만들어내는 다채로운 상황은 게임의 재미를 기하급수적으로 상승시킵니다. 혼자보다는 '여럿이 함께'[10] 하는 것이 대체로 더 즐거운 법입니다.

다시 한번 강조하지만 이 '심심해서'라는 요소는 단순히 가볍게 웃으면서 넘길 문제가 아닙니다. 영화 '올드보이'의 오대수씨와 무인도에 홀로 고립된 '로빈슨 크루소'는 처절하게 심심했으며 처절하게 외로웠습니다. 타인과 함께하는 즐거움이 거세된 삶은 인간의 삶이 아닙니다. 저는 이 '호모 루덴스'라는 개념이 인간의 특징을 그 어떤 다른 수식어보다 잘 표현한다고 생각합니다.

---

[10] 제 아들이 다녔던 공동육아 어린이집 '여럿이 함께'에 대한 작가의 오마주입니다. 비록 지역 내 공동 육아에 대한 수요가 점점 줄어들어서 결국 조합이 해산된 지 여러 해가 지났지만 제 아들이 밝고 주도적인 아이로 잘 성장할 수 있게끔 도움을 주신 여러 조합원분들과 아이를 잘 돌봐 주신 여러 선생님들께 이 공간을 빌려 다시 한번 감사를 전달 드립니다.

우리나라에서 고대로부터 전래되어온 놀이문화를 예를 한번 들어볼까요? 농악(農樂)을 한번 살펴보겠습니다. 오늘날 농악은 생산성과는 직접적으로 관계가 없는 놀이 활동입니다만[11] 과거의 농악은 놀이임과 동시에 생산 활동이었습니다. 고대에서 근대까지 농업 활동은 인류의 생산활동 방식 중 가장 중요하면서 그 참여자의 수가 타업종에 비해 압도적으로 많은 생산활동이었습니다.

우리 선조들이 농악대를 조직하는 이유는 벼농사라는 작물의 특성상 농한기(農閑期)가 존재하기 때문이기도 하지만 농악대 활동을 통해서 간접적인 생산활동에 참여할 수 있기 때문입니다. 벼라는 작물역시 생태계의 일환이며 벼의 생장(生長)과 연관된 수없이 많은 생태사슬이 있을 것입니다. 이중 특정 식물과 균류, 곤충 등은 벼의 생장에 해로운 작용을 할 것입니다. 이런 병충해(病蟲害)를 예방하기 위해 조직된 놀이 문화가 바로 '농악'입니다.

농악대가 만들어내는 타악기(打樂器) 특유의 경쾌한 리듬은 우리를 신나게 하고 흥분시키게 하는 기분 좋은 '놀이'입니다. 하지만 이타악기들이 발산하는 리듬과 공명은 벼농사의 해충들에게는 몹시 견디기 힘든 주파수 대역이라고 합니다. 자연히 이러한 생물들의 생존 가능성과 번식능력이 뚝 떨어지게 되고 이와 반비례해서 벼들의 생장 가능성은 커지게 되겠지요.

---

[11] 농악이 가지고 있는 예술적인 차원의 부가가치를 무시하지는 않습니다. 다만 지금은 논의의 흐름상 1차적인 생존에 관계된 생산성만을 따져 보려는 의도이니 오해 없으시기 바랍니다.

우리 조상님들이 어떻게 이런 원리를 알았는지는 알 수 없습니다. 그저 옛날 사람의 경험에서 우러나오는 지혜라고 해 두겠습니다. 여하튼 우리 선조들은 '병충해 예방'이라는 간접적인 농사 활동을 즐겁고 신명 나게 하기 위해 음악과 놀이의 요소를 적절하게 배치해 두는 현명함이 있었습니다. 그렇게 농악은 고단한 노동에서 벗어나 즐거운 놀이 활동이 되기 시작했지요.

이후 농악이 발달하면서 어느 순간부터 이 활동이 직접적인 생산활동에서 벗어나기 시작했습니다. 농사를 위한 부대 활동이 아닌 즐거움만을 위한 순수한 놀이가 되기 시작한 거지요. 그래서 이 농악활동만을 위한 프로페셔널들이 탄생하였고 이들은 농악을 농사활동에서 분리시켜 순수한 놀이, 즉 예술로 발전시킨 것입니다. 소리에 미쳐서, 풍물에 미쳐서 떠돌던 이 유랑 극단을 우리는 소리패 혹은 풍물패라고 불렀습니다.

아쉽게도 전 이런 진짜배기 풍물패의 공연을 직접 관람하지는 못했지만 이들이 만들어내는 신명과 흥분의 무대를 상상할 수는 있습니다. 풍물 하나만을 미치도록 사랑하여 농업이라는 본업을 버리고 동네 사람들의 손가락질을 받으며 고향을 떠나 타지를 떠돌면서도 좋아하는 풍물을 하기 위해 모든 것을 포기했던 이들 소리패들. 낯선이들의 환호와 경외의 눈길을 받으며 한없이 짜릿한 공연의 쾌감을 맛보다가도 어느 이름 모를 낯선 사랑방에서 몸을 누일 때 찾아 들게 되는 그 등골까지 저릿한 고독함과 떠나온 고향에 대한 애수가 만들어내는 불면의 밤들을... 그렇지만 다시 날이 밝으면 이들 소리패들은 그들을 그들로 존재하게 만들어준 자신의 북채와 꽹과리, 장구를 손에 감고 마치 이 공연이 그들 인생의 마지막이라도 될 것 같은 기세로 신들린 듯한 연주를 이어 나갑니다. 이렇게 신명이라는 에너지는 농악에 미친 풍물인들의 정체성 그 자체였습니다.

농악에서 살펴본 것처럼 이러한 '즐거움' 혹은 '흥미'라는 요소가 없을 경우 생산활동과 연관되지 않은 활동들을 개인에게 강제하기는 쉽지 않습니다. 즐거움은 직접적인 생산활동이 아닌 활동을 인간이 자발적으로 할 수 있게끔 모티브를 제공해준다는 데 그 의미가 있습니다. 이것이 인간을 이해하고 인간 문명을 이해하는데 얼마나 핵심적인 요소인지 이제 이해하실 수 있을 겁니다. 행위를 하는데 있어 흥이 저절로 터져 나오고 '신명'이 나서 밤새는 줄 모르고 즐길 수 있는 그 에너지야말로 우리가 찾고자 하는 바로 그 '즐거움'의 이데아입니다. 그 즐거움의 이데아가 지금까지 인류 문명을 건설해온 바로 그 본질이며, 현재 우리의 문화 활동을 규정하는 본질 그 자체입니다.

20세기 최고의 팝스타 마이클 잭슨은 이렇게 말했습니다. "난 리듬의 노예예요. 그 리듬이 나의 몸 안에 들어오는 순간 난 그 리듬에 몸을 맡기게 되지요." 그 리듬이, 그 영감이, 그 신명이 내 몸의 주파수 대역으로 들어올 때 우리는 흔히 말하는 신들린 상태가 됩니다. 예술가들과 운동선수들과 직장인들과 연구자들의 열정적인 그리고 천재적인 퍼포먼스는 바로 이때 나오는 것이지요.

역사 속의 천재들은 이렇게 특정 주파수 대역이 자신의 몸에 잘 들어올 수 있도록 자기 몸에 있는 주파수 수신기를 미세 조정할 수 있는 예민한 촉을 가진 사람들이지요. 그리고 약간은 특별한 이야기이지만 무속(巫俗)인[12]들과 옛 종교 책에서 나오는 예언자들도 이러한 부류에 속합니다. 이들이 내려주는 신탁이나 계시 역시 이러한 영적인 주파수 대역의 정보를 내려 받아 해석한 결과입니다. 사실 우리의 과학이 조금 더 발달한다면 무속 행위와 같은 지금의 현대과학이 설명하지 못하는 여러가지 초자연적인 현상들을 지금보다 훨씬 더 잘 이해할 수 있을 거라 확신합니다.

무속 행위는 인간과 비생물학적 유기체[13]가 주파수 채널을 맞추어 서로 정보를 교환하는 행위로 설명할 수 있습니다. 물론 이러한 설명이 '과학적'이라는 수식어를 달기 위해서는 이에 대한 측정 가능한 관측 도구와 이를 토대로 한 관측 데이터의 확보가 필요하기에 현재 과학의 수준으로는 이에 대한 검증 자체가 쉽지 않을 것입니다. 현재의 기술로서는 이러한 비유기체와 유기체 간의 연결 행위(바로 소통이지요!!)를 규명할 만한 관측 도구도 찾기 어렵고 두 주체 간 소통 행위에 대한 상관성 입증이 쉽지 않거든요.

---

12 사이비나 사기꾼이 아닌 진짜배기 무속인을 의미합니다. 하지만 이 진짜배기를 판별하는 기준에는 저도 딱히 자신이 없습니다. 이들이 실제 계시를 받고 있는지, 아니면 자신이 계시를 받았다고 착각하는지, 아니면 아예 처음부터 새빨간 거짓말을 하고 있는지는 저로서는 알 도리가 없습니다.

13 이를 군이 과학의 언어를 통해서 설명해 보자면 생태계 내 존재하는 정보 흐름의 데이터베이스라고 표현할 수 있겠습니다. 혹은 자연의 운행과 유기체가 활동했던 에너지의 공명이 기록된 정보 에너지의 장(場)이라고 표현할 수도 있겠습니다. 하지만 우리는 일상언어로 이야기할 때는 우리 인간에게 도움이 되냐, 그렇지 않느냐를 기준으로 하여 이를 신(神) 혹은 귀신(鬼神)이라고 표현하기도 합니다.

하지만 앞에서도 말씀 드렸듯이 과학적으로 설명할 수 없다고 해서 현실에서 엄연히 일어나고 있는 일들을 마치 없는 것처럼 무시해버리는 것은 매우 '비과학적'인 태도입니다. 오스트리아가 낳은 세계적인 분석 철학자 '루트비히 비트겐슈타인'이 이야기한 "우리는 말할 수 없는 것들에 대해 침묵해야 한다."라는 말은 단순히 "모르면 가만히 있어라."라는 의미는 아닐 것입니다. 현재 우리의 과학과 인식 체계로 판단할 수 없는 형이상학적 문제에 대해서는 판단을 보류하라는 의미일 것입니다. 인간이 가진 인식능력의 한계를 인정하고 알지 못하는 것에 대해 모든 방향의 가능성을 열어 둔 진정한 현자(賢者)의 발언 답습니다.

슬기롭고도 또 슬기로운 사피엔스 사피엔스 종(種)으로서 우리가 해야 할 일은 현재의 우리 지식체계를 넘어선 현상들에 대해 섣불리 판단하지 말고 일단 중립 기어를 넣은 채 우주의 무한한 가능성에 대해 열려 있는 태도를 갖는 것입니다. 인간의 상상력과 창의력은 거기서 나오거든요. 현재까지 인류가 쌓아온 지식의 축적은 놀랄 만한 성취임에는 틀림없습니다만 아직 세상과 우주에 대해서 알고 있는 사실은 극히 적습니다. 영국의 '아이작 뉴턴'이라는 천재조차도 자신의 발견이 드넓은 모래사장에서 모래 한 알갱이를 찾아낸 것과 같다고 했으니까요.

우리가 우리의 인식을 지금까지의 발견이라는 좁은 틀 안에 가두어 둔 채 틀 밖의 현상에 대해서 눈과 귀를 닫아버린다면 지식의 발달은 더 이상 이루어지지 않을 겁니다. 마법과 판타지의 세계가 신기하지 않습니까? 겁쟁이 사자와 심장이 없는 양철 나무꾼의 이야기가 궁금하지 않습니까? 토끼 굴에 빠진 어린 소녀의 모험과 비현실적인 세계로의 여행에 참여하고 싶지 않으신가요? 밤하늘의 저 별들이 이어주는 수많은 별자리와 그 별자리에 연결된 영웅들의 신화가 신비롭지 않으신가요? 이러한 호기심과 흥미, 그것을 찾아가는 데서 생기는 즐거움과 신명이 인류 문명의 본질이 아닐까요? 그래서 호기심과 즐거움을 매개로 우리가 알지 못하는 사람과의 새로운 만남과, 그리고 이미 알고 있던 사람의 새로운 모습과 매순간 관계 맺고자 하는 우리의 모습 역시 사피엔스 종(種)으로서의 본질이 아닐까요?

③ 육아에 있어서 놀이의 중요성

관계 맺기의 이유 중 하나인 놀이에 대해서 이야기 하는 중 입니다. 놀이는 사람들이 관계를 맺고자 하는 매우 중요한 이유입니다만 특히 영유아들과 어린이들에게는 이루 말할 수 없이 중요합니다. 어린이들은 놀이를 통해서 세상을 배우고 바라봅니다. 어린이들의 뇌와 신경세포가 여전히 발달하고 있는 이 황금같이 귀중한 시기에 놀이는 이들의 사고방식과 논리 구조, 감정의 발현과 그 처리 프로세스 등에 지대한 영향을 미칩니다.

어떤 식으로 놀 것인지, 무엇을 가지고 놀 것인지, 어떤 상대와 함께 놀 것인지에 따라 아이들의 감정, 사고, 신체 발달, 문제 해결 능력 등은 현격한 차이를 보입니다. 이중 어떤 상대와 놀 것인가의 문제는 특히 중요합니다. 놀이에 대한 충분한 피드백을 받을 수 있는 상대가 꼭 필요하다는 것이지요. 즉, 놀이를 통해서 상대방과 끊임없이 소통

정서적 요인

을 하며 여기에서 즐거움을 얻고, 또 갈등이 생겼을 때는 상대방과 물리력, 타협, 양보, 협력 등 다양한 방법으로 상대방과 문제를 해결하는 능력을 키울 수 있습니다.

제겐 올해 9살이 되는 아들이 있습니다. 정말 사랑스러운 친구이지만 눈에 넣어도 아프지 않다는 말은 거짓말이 틀림없습니다. 그 큰 걸 어떻게 눈에 넣고 안 아플 수 있겠습니까마는 어쨌든 너무 너무 사랑스러운 것은 사실이지요. 저는 가끔 이 친구가 뭘 하는지 유심히 관찰하는 습관이 있습니다. 저와 제 아내의 육아관은 대체로 일치하기 때문에 우리 부부는 또래의 다른 아이들과는 달리 이 친구가 가급적 많은 자유시간을 가질 수 있도록 내버려 둡니다. 학습을 강제하지도 않고, 학교 수업 외에 그 어떤 사교육도 시키고 있지 않아요. 그렇기에 이 친구가 하교한 이후에는 개인위생관리를 위한 활동 외 나머지 대부분의 시간은 자유시간 입니다. 무언가 생산적인(?) 활동을 크게 안 해도 된다는 의미이지요. 그렇다면 우리 아들은 그 시간 동안 무엇을 하고 지낼까요?

이 친구는 늘 무언가 재미있는 놀거리를 찾아 끊임없이 헤맵니다. 불행히도 그에게는 스마트폰이 없으며 우리 부부의 스마트폰에 대한 접근도 차단되었습니다. 아울러 티브이도 하루에 10분 이하로만 시청할 수 있습니다. 아쉽게도 그에게는 누나도, 형도 동생도 없네요^^;; 이런 제한된 환경에서 그가 견딜 수 없는 이 '심심함'이라는 실존적 고통을 해결하기 위해서는 사실 고도의 창의적인 활동이 요구됩니다.

옆에서 지켜보면 이 친구는 참으로 다양한 문화적 활동을 시도 합니다. 그리고 이 친구가 하는 문화 활동들은 커가면서 조금씩 바뀌기도 하고 어떤 활동들은 꽤나 오래 지속되기도 합니다. 보드 게임, 장난감, 시즌마다 바뀌는 각종 스포츠 활동, 책 보기, 사슴벌레 키우기 같은 일반적인 놀이에서부터 집에 있는 각종 생활용품, 예컨대 냄비뚜껑이나 다 쓴 휴지심, 아빠의 넥타이나 회사 뱃지, 엄마의 화장품 세트, 냉장고 문짝이나 에어컨 필터, 소파 쿠션 등을 이용해 다양한 창작 활동을 하거나 이를 장난감 삼아 가지고 놉니다.

문맹을 벗어난 후에는 문자가 가진 매력에 흠뻑 빠져들어 어린이를 위한 책에서부터 집 안에 있는 접근 가능한 모든 책들(엄마와 아빠가 보는 책들까지!)까지도 이 친구가 가진 호기심의 사정권 안에 들어갔지요. 뭐가 그리 호기심이 넘치는지 닥치는 대로 책을 읽어대고 있습니다. 하지만 우리 아들이 그 무엇보다도 좋아하는 놀이가 있지요. 바로 엄마 아빠와 살을 부비며 노는 것입니다. 이 친구는 정말 하루 종일 지치지도 않고 종알종알 떠들며 엄마 아빠를 만지며 엄마 아빠의 관심을 독차지하고 싶어합니다.

위에 열거한 놀이 외에도 우리 부부는 다양한 방법으로 아들과 놀아주지만 사실 특별한 규칙이 있는 것은 아니고 그때 그때 즉흥적으로 놀잇거리를 만들어내거나 서로 마주 보고 방긋 웃으며 재잘재잘 떠들어 대는 것이 대부분입니다.

이 친구는 혼자서 잘 놀다가도 저와 눈이 마주치기만 하면 특유의 사랑스러움과 장난기가 가득한 표정을 지으며 스윽 다가와 "아빠, 나랑 같이 놀아요~ 나 너무 심심해요."라고 하며 앵겨 붙습니다. 물론 그 시도의 절반 정도는 실패로 돌아가지만 나머지 절반 정도는 성공을 거두게 되어 저의 관심을 획득합니다. 사실 저는 이 친구가 무엇에 열심히 열중해 있을 때 그 하는 양을 유심히 지켜보다 가도 고개를 돌려 저를 바라볼 때는 저 역시 황급히 고개를 돌려 안보는 척을 합니다. 눈 마주치기가 두렵다는 것은 우리 아들에게는 비밀로 해주십시오(^^) 엄마에게 하는 시도 역시 비슷한 성공률을 보이더군요.

우리 가족은 어른 두 사람(엄마, 아빠)이 아이 하나를 키우는 가정이기에 이 아이에게 충분히 많은 관심과 에너지를 나눠줄 수 있습니다. 제 아내와 저의 공통된 육아관 중 하나가 아이가 엄마 아빠를 필요로 하는 시기에 최대한 많은 시간을 함께 해주고 많은 스킨십을 해주자는 거지요. 그래서 이 친구는 지금까지 원없이 안기고 원없이 뽀뽀를 받으며 살아왔습니다. 주위에서는 그렇게 키우면 아이가 버릇없어지고 나약해 진다며 저희의 육아관을 걱정스레 바라보는 분들이 많이 계셨습니다만 저희 부부에게는 단단한 믿음이 있었습니다. 사랑을 많이 받은 아이가 나중에 사랑을 많이 줄 줄도 안다는 것이지요. 사랑을 많이 받는다고 해서 아이의 행동을 무제한적으로 허용해주는 것은 아닙니다. 위험하거나 타인에게 피해를 줄 수 있는 행동에 대해서는 단호하게 그것이 안된다는 것을 알려주고 있으니까요.

여하튼 이 친구는 많은 시간을 엄마 아빠와 함께 놀이를 하며 시간을 보내왔습니다. 카드놀이, 운동경기, 보드게임, 끝말잇기, 몸으로 하는 장난과 책 읽어 주기, 마주 앉아서 이야기 하기, 여행가기 등등. 놀이를 하다 보면 승패가 나뉘어지는 경우도 있고 어떤 경우 문제가 생겨서 이것을 해결하기 위해 머리를 모아 작전을 짜야 하는 경우도 생깁니다. 그리고 꽤 자주 갈등 상황이 발생해서 이 갈등 때문에 마음이 상하거나 울고 불고 하는 경우도 생깁니다.

그리고 사실 저도 승부욕이 강한 편이기에 게임을 하다가 아들이나 아내에게 진 게 분해 한참을 속상해 하는 경우도 있습니다. 우리 어린 아들은 더 말할 것도 없겠지요. 이렇게 함께 노는 과정에 사건 사고가 끊임없이 발생하고 있음에도 불구하고 우리 아들은 우리와 함께 하는 놀이를 혼자서 노는 것보다 훨씬 더 즐겨합니다. 그리고 이렇게 함께 하는 놀이를 통해서 참으로 많은 것을 배우더라구요. 레고를 하면서 물체의 조립 방법과 구조에 대해서 배우기도 하고, 자동차박물관이라는 책을 계속 읽다가 스스로 한글을 깨우치기도 했습니다. '부루마불'이라는 보드게임을 같이 하면서는 덧셈 뺄셈을 자연스럽게 익히더라구요. 특히 우리와 함께 하는 모든 놀이를 통해서 '지는 것을 받아들이는 법'과 양보하는 법, 협력하는 법을 배웠습니다.

아이가 만 3살이 되기 전까지는 어지간한 경우 제가 대부분 양보하고 져주었지요. 그러다가 처음 제가 아이를 내기에서 이겼을 때 아이는 분을 참지 못해 눈물을 흘리며 몹시 속상해 했습니다. 그 모습에 저도 마음이 아팠지만 어쩌겠습니까? 앞으로도 아이의 남은 삶에 무수히도 많은 실패와 좌절이 있을 텐데요. 그 때 마다 엄마 아빠가 아이의 인생을 대신 살아 주듯 모든 것을 해결해 줄 수는 없지 않겠습니까? 그렇다면 실패했을 경우 감정을 추스리는 법, 실패를 통해 단점을 극복하고 새로운 방법을 배우는 법을 스스로 배워야 하지 않겠습니까? 그렇게 실패에 무너지지 않고 다시 일어설 수 있는 회복 탄력성을 기르는 훈련을 해야 하지 않을까요?

그래서 저는 지금도 아이와 게임을 할 때 아이가 여섯 번을 이기면 제가 네 번을 이기는 정도로 밸런스를 맞춰갑니다. 봐줄 때도 있지만 안 봐줄 때도 있지요. 그리고 어쩔 때는 제가 진심을 다해 이기고자 했음에도 불구하고 아이에게 진 적이 있습니다. 그럴 땐 사실 저도 분해서 얼굴이 살짝 붉어지더군요.^^;;

아이들은 이렇게 놀이를 하면서 사회와 세상을 경험해 나갑니다. 이 시기에 아이들이 겪었던 놀이와 놀이의 과정들은 아이들의 뇌리 속에 깊숙하게 자리 잡으며 이 세상을 살아나가는 자신만의 기준점을 만들어 갑니다. 부모와 혹은 또래들과 함께하는 놀이가 즐거우면 즐거울수록, 세상에 대한 긍정적인 정서가 자라나고 힘든 일이 생겼을 때 이를 극복해 나갈 수 있는 회복 탄력성 또한 함께 커질 것입니다.

특히 학습 측면에서 볼 때 놀이는 그 무엇보다도 효율적인 수단입니다. 학습과 놀이를 접목하기 위해서는 학습의 대상과 주제에 최적화된 고도의 전략적인 디자인이 필요합니다. 놀이 자체가 학습의 기능을 하도록 설계를 할 수도 있고 학습에 놀이의 요소를 가미할 수도 있습니다. 사실 이것이 교육의 본질입니다. 아이의 재능과 환경에 맞는 적합한 학습 주제를 골라주고 이에 대해 적절한 흥미와 보상 시스템을 만들어주는 것이야말로 제대로 된 교육이 추구해야 하는 바입니다.

무엇이 되었던 제대로 된 배움을 위해서는 흥미와 즐거움을 일으키는 놀이의 요소가 필수적입니다. 특히 나이가 어릴수록 이러한 요소의 중요성은 더 커집니다. 나이가 어느 정도 들게 되면 흥미 요소가 적어진다 하더라도 '필요성'이라는 요소에 의해 지속성을 유지할 수 있습니다. 하지만 어린 나이에는 이 '필요성' 요소의 필요성을 잘 느끼지 못합니다. 그렇기에 '와신상담' 식의 처절하고 극단적인 방식 외에는 '흥미' 요소를 대체 할 만한 모티브를 찾아보기 힘듭니다. 다만 아이를 키우는 부모님들께서는 너무 어린 나이부터 '교육을 위한 놀이'를 추구하지 말아 주시기 바랍니다. 어릴 적에는 '교육을 위한 놀이'보다는 '놀이 자체를 위한 놀이'가 올바른 정서 함양은 물론 인지 발달 측면에서도 '교육을 위한 놀이'보다 더 탁월하다고 믿어 의심치 않으니까요.

경제적인 요인

앞장에서 생산적인 활동을 할 필요가 없는 우리 아들이 평소에 무엇을 하고 지내는지에 대해 말씀을 드렸습니다. 위의 내용이 어린 아이를 키우는 부모님들에게 양육에 있어 약간의 참고라도 되었으면 하는 바람이 있습니다. 사실 육아와 교육에 관련된 문제는 이 책의 핵심적인 주제 중 하나이기에 뒷장에서 조금 더 자세하게 다루어 보도록 하겠습니다.

지금까지 우리는 사람들이 행동의 동인을 얻게 되는 모티브와 타인의 관심을 얻고자 하는 여러가지 차원의 이유에 대해서 살펴보았습니다. 여기에는 생물학적 요인이 있었고, 생물학적으로는 오히려 불리한 역선택의 문제도 있었습니다. 그리고 생물학적 요인과 어느 정도 분리된 정서적인 요인에 대해서도 살펴보았습니다. 이런 정서적 요인을 다시 협업의 필요성과 놀이의 차원으로 나누어 살펴 보았구요.

지금부터는 '관종'의 세번째 요인인 경제적 차원에서 논의를 진행해 보겠습니다. 뭐라구요? 경제적 이유 때문에 '관종' 노릇을 한다구요? 네. 그렇습니다. 21세기 현재의 산업구조가 그렇게 돌아가고 있습니다. 우리가 살고 있는 이 사회 자체가 거대한 '관종' 양성소, '관종' 수용소, '관종' 소비처가 되어 가고 있습니다. '관종' 행위는 확실히 돈이 됩니다. '관종' 행위를 보려 하는 탄탄한 수요가 존재하기 때문입니다.

인터넷이 발달하지 않은 이삼십 년 전에도 '관종'들은 분명히 존재했습니다. 하지만 그 시절의 '관종'들에게는 자신의 '관종' 행위를 어필할 수 있는 물리적인 한계가 있었습니다. 기껏해야 자신이 속한 집단(가정, 학교, 군대, 모임, 직장 등)이 이들이 관심을 얻을 수 있는 영역의 전부였지요. 이 시절의 어떤 '관종'이 불특정 다수의 많은 사람들에게 자신의 '관종' 행위를 어필하고자 한다면 텔레비전이나 라디오, 혹은 신문을 이용하는 것 외에는 마땅한 다른 방법이 없었습니다.

지금도 어느 정도는 그렇지만 당시의 매스미디어는 극히 공급자 위주의 산업이었습니다. 그래서 정상적인 활동을 통하여 한 분야의 정점에 오르지 않는 이상 매스미디어를 통하여 자신을 널리 어필할 기회는 매우 드물었습니다. 정히 자신을 드러내고 싶다면 극단적이거나 엽기적인 행위를 하여 해외토픽[14] 혹은 기네스북에 오르거나 그것도 아니면 범법 활동을 하여 신문 사회면에 나오는 방법이 있었겠네요. 실제로 범죄 심리학자들은 범죄자들의 범행 동기를 이러한 '관종' 행위에서 찾아내기도 합니다. 그 시절에는 이러한 수단 외에는 자신의 '관종' 행위를 드러낼 수 있는 기회가 극히 희박했습니다.

하지만 요즘은 상황이 많이 다르지요. 과학과 기술의 발달로 우리와 같이 평범한 시민들도 더 이상 미디어를 소비만 하고 있지는 않습니다. 우리는 미디어를 적극적으로 생산해내기도 합니다. 2022년의 대한민국은 이른바 컨텐츠 크리에이터들의 천국이 되어있습니다. 기술의 발달은 지금까지 언론사나 방송국이 일방적으로 정보를 공급하던 일방향적인 소통 시스템을 양방향으로 바꾸어 놓았습니다. 이로

---

[14] MZ세대들은 잘 모르실 수도 있겠지만, 해외 소식을 실시간으로 쉽게 확인할 수 있는 현재와 달리 과거에는 일부 중요한 기사거리만 국내 미디어에 보도가 되었습니다. 해외에서 발생하는 소식 중 중요하지는 않지만 매우 놀랍거나 희한한 가십거리를 다루는 기사 혹은 뉴스를 해외 토픽이라고 불렀습니다.

인한 파급력은 실로 어마어마했습니다. 긍정적인 부분, 부정적인 부분 모두 다 포함해서 말이지요.

 이전의 미디어 시장은 공급이 수요를 지배하던 시장이었습니다. 그렇기에 미디어 공급자들은 본인들이 의도하는 바를, 본인들이 원하는 방식으로 본인들이 원하는 타이밍에 미디어 수요자에게 이식(移植)하는 것이 가능했습니다.[15] 그것을 소비하는 소비자의 '기호'나 '수요'에 크게 관계없이 말이지요. 물론 이에는 장단점이 있겠지요. 그 시대의 일반적인 '미풍양속'을 해치는 내용은 미디어에 나오기 힘들었습니다. 즉 미디어는 사회가 용인하는 '정상적인' 사람들의 '정상적인' 활동만을 여과하여 보여주었습니다. 비정상적인 사람들의 비정상적인 활동에 대한 소비자의 수요가 있건 없건 관계없이 말입니다. 하지만 지금은 정상과 비정상의 경계가 무너졌습니다. 더욱이 기존의 거대 신문사와 방송국이 독점하다시피 하던 매스미디어의 공급 기능이 대중에게도 전파되기 시작합니다. 이 두가지 현상 모두 과학기술과 인터넷의 발달로 말미암은 변화입니다.

 인터넷 시대의 윤리관은 이전 산업시대의 그 것과는 많이 다를 수밖에 없습니다. 사람들이 살아가는 방식이 바뀌었기 때문이지요. 따

---

[15] 실제로 엘리트들의 통치 행위를 보조하는 역할로 방송과 언론사가 기능해왔던 시절이 있었습니다. 그 시절의 방송사는 엘리트들이 바라는 이상적인? 사회를 만들기 위하여 특정한 메시지를 국민들에게 주입하는 역할을 담당하기도 했습니다.

라서 '그때는 맞았지만 지금은 틀릴 수'[16] 있습니다. 정상과 비정상의 경계도 모호하고 무엇이 옳고 그른지도 판단하기 어렵습니다. 하지만 이런 상황에서 더욱 맹렬히 작동하게 되는 메커니즘이 하나 있지요. 바로 경제학의 '수요와 공급의 법칙'입니다.

윤리적인 가치관의 경계가 허물어지게 될 경우 인간은 그 사회가 규정하는 규범(規範)적인 행동[17]을 따라야 할 동력을 상실합니다. 사실 사회적인 규범은 인간이 수요와 공급의 법칙에 따라 행동하는 것을 어느 정도 제어하는 기능이 있었습니다. 특정한 경제활동을 통해서 돈을 벌고 싶더라도 남의 눈치 때문에, 남들의 손가락질을 받을까 봐, 지인들에게 부끄럽기 때문에 따위의 정서적 제약이 발목을 잡았습니다. 그래서 인간은 경제학 교과서에 나오는 '합리적인' 인간들처럼 수요와 공급 곡선이 그리는 깔끔한 모양의 궤적을 그대로 따라 가며 움직이지는 않습니다.

하지만 지금 시대에는 과거에 우리가 '미풍양속(美風良俗)'이라고

---

16 홍상수 감독의 영화 '지금은 맞고 그때는 틀리다'의 제목에서 차용하였습니다. 이 제목을 보자마자 저는 홍상수 감독의 사람에 대한 깊은 통찰에 감탄했습니다. '변화'는 천지 운행의 기본 원리입니다. 그리고 변화 때문에 상황은 항상 바뀌게 됩니다. 변화에서 파생되는 상황의 모순성, 그 모순성이 내재한 삶의 본질을 꿰뚫어 본 멋진 제목이라고 생각합니다. 진리는 고정된 이데아가 아닌 상황성(狀況性, Situationality)에서 나온다고 봅니다. 그렇기에 상황과, 환경과, 문화의 변화에 따라 '지금은 맞고 그때는 틀릴 수' 있습니다. 사실 여담이지만 아직 이 영화를 보지는 않았습니다.^^;; 내용이 제가 생각한 것과 다를 수도 있겠지만 그래도 뭐 어떻습니까. 감독이나 작가가 발신하고자 하는 메시지를 수신자가 엉뚱하게 해석해버리는 이 모순 역시도 예술과 삶의 본질인 것 을요.

17 규범적인 행동은 큰 틀에서 사회 전통과 가치관, 도덕, 법률을 모두 아우릅니다. 즉 인간의 행동을 제어하는 사회적 합의라는 의미에서 사용했습니다만 본 문맥에서는 이중 구속력이 있는 '법률'은 제외하는 의도로 사용하였습니다. 즉 '최소한의 도덕'인 법이 아닌 그보다 상위 개념의 규범들만을 지칭하기 위해 사용하였습니다.

믿었던 사회 규범의 심리적 구속을 받는 사람들이 이전보다 현저히 줄어들었습니다. 주위를 둘러보시면 아실 겁니다. 특히 아날로그 시절의 경험을 간직하고 계신 40대 이상의 분들은 본인들의 유년기와 지금의 사회 분위기를 비교해보시면 충분히 공감하실 겁니다. 1980년대의 우리의 삶과 2020년대의 우리의 삶은 완전히 다릅니다. 아마 몇백 년에 걸쳐 일어났던 변화보다 더 큰 변화가 이 짧은 시간 안에 일어나고 있을 겁니다.

몇백 년 동안 여러 세대를 거쳐가며 천천히 변화해야 할 삶의 방식들이 자신이 살고 있는 당대에 모두 일어나고 있습니다. 예전에는 증조할아버지에서 할아버지로, 할아버지에서 아버지로 시간의 긴 세례를 받으며 이 변화가 무엇인지, 이 변화에 어떻게 대응해야 할 것인지 충분히 생각하고 받아들이고 개선해 나갈 시간적 여유가 우리에게 있었습니다. 그리고 이 긴 시간 동안 여러 세대에 걸쳐 축적된 집단지성을 통해서 변화에 대응할 충분한 전략을 세울 수 있었습니다. 이렇게 축적된 노하우는 다음 세대에 전달되어 왔습니다. 세대를 이어 전해지고 조금씩 개선되는 삶의 방식을 우리는 문화 혹은 전통이라고 불러왔습니다.

하지만 지금의 우리는 이러한 모든 일들을 우리가 당대에 홀로 맞부딪혀 배우고, 경험하고 익혀 나가야 합니다. 변화의 속도가 너무 빨라서 위 세대의 사람들에게 무언가 노하우나 자문을 구할 수도 없습니다. 우리 위 세대는 이 변화를 받아들이는 것이 우리 세대보다 더 힘들 테니까요. 그리고 우리는 아래 세대에게도 무언가를 전수하기가 쉽지 않습니다. 현재 우리 삶의 방식조차도 혼란스럽고 정립이 안된 상태인데 어떻게 이것을 우리 아래 세대에게 전할 수 있겠습니까? 더욱이 우리 아래 세대의 삶이 지금과 비교해 어떻게 바뀔지 예측이 안되는 상황에서 우리가 살아온 시대의 방식을 전수하는 것은 의미가 없습니다. 지금의 우리에게는 성공 방정식일 수 있었지만 다음 세대에게는 그렇지 않을 수 있습니다. 지금은 맞지만 그때는 틀릴 수 있다는 겁니다.

역사를 공부하신 분이라면 구한말부터 일본 제국주의 식민지시대, 해방과 분단, 6.25 전쟁까지의 국체(國體)가 여러 번이나 바뀌었던 약 60여 년의 격동기 대한민국을 기억하실 겁니다. 하지만 이 격동기에도 삶의 방식에 대한 변화는 지금 만큼 크지 않았습니다. 여전히 국민의 절대다수가 농민이었고, 대부분의 사람들이 태어난 곳의 반경 10킬로미터 이내의 생활 공간에서 살다가 죽고, 전기와 상하수도, 가스라고 하는 혁명적인 생활 인프라의 보급도 흔치 않던 시절이었습니다. 다만 정치 시스템과 분배의 방식이 급격히 바뀌었을 뿐이었지요.

하지만 지금 우리가 살고 있는 이 시기는 격동기의 구한말보다 더큰 변화가 압축된 시기입니다. 우리가 일상을 살아가는 방식, 사람을 만나는 방식, 여가를 보내는 방식, 부가가치를 생산하는 방식, 통신과 교통을 이용하는 방식이 모두 바뀌었습니다. 이러한 하부구조의 변화는 곧 법과 제도, 가치, 문화와 같은 상부구조의 변화를 가져오게 됩니다. 그래서 하부구조가 급격하게 변화하는 지금과 같은 시기에는 시대의 전체적인 가치관 자체가 혼란을 겪게 되는 것입니다. 그렇기에 과거에는 문화적으로 몹시 금기시되던 행동들을 지금은 거리낌 없이 할 수 있게 되는 겁니다. 우리 사회 전체가 극심한 혼란을 겪는 것도 너무 당연하지요. 다시 한번, 그때는 틀리지만 지금은 맞을 수 있다는 겁니다.

저는 지금 이 풍속의 변화에 대해 좋다, 나쁘다의 가치판단을 하는 것이 아닙니다. 단지 외부환경의 변화가 자연스럽게 상부구조의 변화를 가져올 수 있다는 합리적인 가정과 더불어 이러한 변화의 양상이 이미 현실에 엄연히 존재하고 있다는 것을 말하고 있을 뿐입니다. 이러한 변화가 나타나는 세상을 정확히 이해하고 받아들인 후 이에 맞게끔 우리가 삶을 대하는 자세에도 변화를 주어야 한다는 것이지요. 환경이 바뀌면 생활의 방식도 바뀌어야 합니다.

자, 다시 논의점으로 돌아와 봅니다. 이제 '관종'들에게 기회의 창이 열리게 되었습니다. 우선 이들은 과거에 비해 스스로의 행동에 대한 심리적인 제약을 많이 받지 않습니다. 시대의 변화에 따라 기존에 존재했던 문화적 터부(Taboo : 사회적으로 허용되지 않는 금기)가 없어지고 있기 때문입니다. 거리낄 게 없다는 것이지요. 둘째, 기술 발달로 인해 이들의 '관종' 행위를 불특정 다수에게 널리 전파할 수 있는 강력한 수단이 생겼습니다. 바로 양방향 인터넷 서비스의 등장이지요.

초기 인터넷 시절에도 유저들은 양방향 소통이 가능했습니다만 이는 어디까지나 텍스트와 이미지 파일 위주의 소통이었습니다. 하지만 고사양 스마트폰의 등장, 큰 용량의 데이터를 주고 받을 수 있는 산업 인프라의 개선과 함께 다양한 온라인 플랫폼의 등장으로 온라인 상의 정보 교류가 동영상 위주로 바뀌었고 이에 판도는 다시 한번 급변하였습니다. '관종'들은 자신의 괴짜스러운 일거수 일투족을 그야말로 실시간으로 널리 알릴 수 있게 되었습니다.

이러한 현상이 왜 일어나는지에 대해서는 이 장 전체를 통해 천천히 설명 드리겠습니다만 '관종'행위를 즐겨보는 수요가 급격하게 늘기 시작한 것이 가장 직접적인 이유입니다. 빵이 있는 곳에 우유가 따르는 법이고 수요가 있는 곳에 공급도 따르는 법입니다. 그리고 이 수요를 충족시켜 주는 공급에 대한 보상 시스템도 업그레이드 되기 시작하였습니다. '관종' 컨텐츠가 범람할 수밖에 없는 최적의 환경이 조성된 것입니다.

초기 인터넷 시절의 '관종'들은 그저 자신이 이용하는 온라인 플랫폼의 방문자 수와 댓글 수가 늘어나는 것만으로도 이미 충분한 정서적 보상을 받았습니다. 그들이 원하는 것은 자신의 일상과 자신의 창작물에 대한 타인들의 반응과 피드백이었거든요. 지금은 서비스가 중단된 '싸이월드'[18]라는 추억의 온라인 플랫폼이 있습니다. 아마 지금 20대 후반 이상인 분들이라면 다들 잘 알고 계실 겁니다. SNS의 핵심 가치인 컨텐츠 공유와 지인들과의 네트워킹 기능을 제공해주던 SNS의 조상 격인 온라인 플랫폼입니다. 이미 이때 '미니룸'이라는 서비스를 통해 초보 단계이긴 하지만 메타버스의 구현까지 시도하고 있

---

[18] 2022년 현재 싸이월드는 서비스 개시를 준비 중이라고 합니다. 아마 이 책이 출간된 시점에는 이미 많은 분들이 싸이월드를 다시 즐기고 계실지도 모르겠네요.

었지요.

20년 전 싸이월드가 그야말로 선풍적인 인기를 끌게 된 것은 사람들의 소통방식에 대한 새로운 형태의 대안을 제시했기 때문입니다. 지금의 SNS와는 다르게 싸이월드는 피드 간 수직적 연결보다는 이웃 간의 수평적 연결 중심의 플랫폼이었습니다. 컨텐츠의 내용 자체도 중요하지만 이웃, 그리고 이웃의 이웃과의 확장된 소통방식을 제공해준 것이야말로 핵심적인 성공 포인트였습니다. 물론 그때는 지금처럼 고용량의 동영상 컨텐츠를 올릴 수 있는 기술적 환경도 마련되지 않았지만요.

그 시절의 우리들은 자신의 싸이 홈피에 자신의 일상과 자신의 감정을 담아낸 사진과 글을 올리며 이에 대한 이웃들의 반응에 웃고, 울고, 설레고, 절망하였습니다. 그리고 자신의 홈피 방문 히트수와 댓글 작성을 유도하기 위해 자신의 감정 상태를 지나치게 과장하여 이를 사진과 글에 담기도 했습니다. 물론 이 모든 것들은 그들의 흑역사로 차곡차곡 마음속에 박제되어 있겠지만요^^;;

사실 이정도만으로도 그들에게는 충분한 보상이 되었습니다. 홈피 방문 히트수와 여러 개의 댓글 정도면 그들이 원하는 관심을 충족시키기에는 충분했으니까요. 그리고 충분한 관심을 받지 못할 경우에는 이에 대한 반발 심리로 간혹 타인들에게 공격적이거나 무례한 말투로 대응을 하기도 하였습니다. 사실 이 때까지만 해도 인터넷 문화가 순수했습니다. 낭만도 있었구요. 하지만 이러한 낭만의 시대는 이제 끝난 것 같습니다. 컨텐츠의 생산을 돕는 기술적인 발전으로 말미암아 방문자 수, 리뷰 수, 구독자 수, '라이크' 수 자체가 돈이 된다는 것을 컨텐츠의 생산자도, 컨텐츠의 소비자도, 플랫폼 제공자도, 기업들도 모두 알게 되어 버렸으니까요. 생산, 소비, 유통, 광고의 가치사슬로 엮인 컨텐츠 유통에 대한 산업 생태계가 형성된 것입니다.

현대사회에서 가장 중요한 비즈니스 모델 중 하나가 '광고 사업'입니다. 광고 자체가 실제로 진정한 의미의 사회적 부가가치를 생산하는지에 대해서는 저는 잘 모르겠습니다만 여하튼 현대사회에서 광고 사업의 화폐적 부가가치는 확실하게 측정되고 있으며 GDP를 증가시키는데 큰 공헌을 합니다.

공급이 수요를 창출하던 초기 산업사회와 다르게 20세기 중반 이후부터는 생산성의 향상으로 인해 대체로 거의 모든 분야에서 공급이 수요를 초과하였습니다. 공급과잉의 시대는 공급자 간의 경쟁을 촉발시키고 이로 인해 매스미디어를 통한 광고 산업이 발달하게 되었습니다. 그래서 이 시절에도 사람들의 이목을 집중시키는 킬러 컨텐츠, 예를 들어 미국의 '슈퍼볼 게임'이라던가, 월드컵 경기, KBS의 '첫사랑'[19] 과 같은 드라마는 기업들로부터 거액의 광고비를 받으며 컨텐츠 앞뒤로 해당 기업의 제품 혹은 브랜드 광고를 실을 수 있었던 거지요. 이러한 광고 사업의 흐름이 전통적인 기업과 기업 간의 거래에서 점차 개인과 기업, 개인과 개인의 거래로도 확장되고 있습니다. 모두 다 기

---

[19] 1996년에 방영된 최수종, 배용준 주연의 이 드라마의 시청률은 60%를 넘었습니다. 당시 미디어를 독점하다시피 한 방송 시스템을 감안하더라도 어마어마한 시청률 임에 틀림없습니다. 하지만 현재의 다변화된 미디어 환경을 고려하면 이런 수준의 시청률은 다시 나오기 힘들 것입니다.

술 발달과 인터넷의 힘이지요.

 놀이 활동으로, 취미 삼아 자체적인 컨텐츠를 생산하던 개인들은 본인이 올린 컨텐츠에 사람들이 반응하기 시작하자 스스로의 힘을 깨닫기 시작합니다. 아니, 이들이 스스로의 힘을 깨닫기도 전에 먼저 이들에게 다가와 그들의 힘을 일깨워주는 사람들이 생기지요. 바로 광고주들과 크리에이터들을 연결해주는 광고기획사 혹은 대행사들입니다. 이들은 광고주들과 크리에이터들 간의 수요와 공급을 연결해주는 매개자로서 양측의 의견과 조건들을 조율하며 거래를 성사시켜 줍니다.

 광고주들의 고도화된 광고 컨셉과 높은 기대치를 맞춰 주기 위해 크리에이터들은 이들 대행사들과 계약을 맺어서 전문가들의 도움을 받게 되기도 하고, 아니면 크리에이터 본인 스스로 영상 편집과 컨텐츠 제작에 대한 전문 지식을 익힌 후 스스로 프로듀싱을 하기도 하지요. 이제 '관종'들도 농악과 마찬가지로 프로페셔널의 길을 걷게 되는군요.

 놀이처럼 시작한 일상 활동이 어느새 직업처럼 변하게 되고 사람들의 클릭을 많이 받게 되는 크리에이터들은 점차 상업적인 전문 크리에이터로 변모해 갑니다. 이제 이들이 불특정 다수의 컨텐츠 소비자로부터 획득하는 뷰 숫자, 구독자 숫자, '라이크' 숫자는 단순히 관심의 척도를 넘어 광고비 지급 요율의 기준이 되었기 때문입니다.

 '라이크' 숫자에 따라 컨텐츠가 가진 경제적인 위상이 달라지게 되자 크리에이터들은 예전과 달리 단순히 '관종'적 욕구만을 채우기 위해서 온라인 활동을 하지 않게 되었습니다. 이제는 본인의 즐거움을 위한 활동이 아닌 소비자나 광고주의 선택을 받기 유리한 방향으로 컨텐츠를 만들기 시작합니다. 즉 컨텐츠 제작의 방향성이 달라지기 시작한 것입니다. 과거 '싸이월드'에서처럼 단순히 자신의 감정을 과장해서 드러내거나 불특정 다수가 아닌 특정 소수를 위하여 메시지를 발신하곤 하던 그들의 순수했던 낭만이 이제 불특정 다수의 클릭을 유도하기 위한 상업적인 합리성으로 바뀌게 되는 겁니다.

이제 타인의 관심은 그 관심이 표현되는 형태별로 정확하게 화폐가치로 측정이 가능해진 시대가 되었습니다. 관심은 구독자의 숫자로도, '라이크'의 숫자로도, 뷰(view)의 숫자로도 측정되어 그 관심의 크기가 화폐적 가치로 계량됩니다. 심지어는 특정 사이트에 접속하는 횟수와 주기, 그 사이트에서 머무르는 시간은 물론이고 특정 컨텐츠의 클릭 이후 다음 클릭까지의 지체되는 시간까지도 관심의 크기로 변환되어 이는 다시 화폐적 가치로 전환됩니다.

이제 관심을 받고자 하는 욕구는 생물학적인 차원, 정서적인 차원을 넘어서 경제학적인 차원이라는 강력한 동기부여를 받게 됩니다. 이전의 단순히 인정을 받고자 하는 욕구보다 훨씬 더 구체적이고 더 실감나는 모티브이지요. 이에 크리에이터들은 이전의 '싸이질'을 할 때의 방식보다 훨씬 더 세련되고 (혹은 더 천박하고) 훨씬 더 감각적이고 (혹은 더 말초적이고), 훨씬 더 자극적인 컨텐츠를 만들게 됩니다.

컨텐츠가 소비자들의 관심을 끌면 끌수록 이는 즉각적인 경제적 보상으로 돌아옵니다. 이렇게 '적절한 흥미와 보상'이라는 완벽한 행동 추진의 인센티브가 완성되었습니다. 길을 걸으면서도, 운전을 하면서도, 사랑하는 사람을 앞에 두고서도 핸드폰에 끊임없이 시선을 고정한 현대인들의 손가락 끝에 선택 받기 위해 크리에이터들은 지금도 매순간 다른 크리에이터들과 경쟁하고 있습니다. 이것이 지금 유튜브와 인스타그램, 틱톡에서 말초적인 감각을 자극하는 썸네일과 제목으로 무장한 '관종' 컨텐츠가 넘쳐나는 이유입니다.

이러한 현상은 비단 우리가 컨텐츠 크리에이터라고 부르는 최근의 인스타그램의 인플루언서, 혹은 유튜버에만 해당되는 것이 아닙니다. 전통적인 컨텐츠 공급자였던 언론사나 방송사를 포함해 각종 드라마, 광고 컨텐츠를 만들어 주던 외주 제작사들도 이러한 '관종' 컨텐츠 경쟁에 함께 뛰어들고 있습니다. 물론 이런 전통방식의 강자들에게는 너무 과도한 '관종' 컨텐츠 제작을 방지하기 위해 방송심의에 관련된 법률이나 표시광고법 등의 제약이 있습니다만 법률의 사각지대(死角地帶)가 많기도 하고, 또 기본적으로 '미풍양속'이라는 문화의 개념 자체가 변하고 있기에 이들이 양산하는 '관종' 컨텐츠의 천박함도 개인 인플루언서들에 비해 크게 뒤지지 않습니다.

특히 우리가 아침에 눈을 뜨면 제일 먼저 확인하는 손바닥 안의 뉴스 기사도 이런 '관종' 경쟁 대열에 누구보다 열심히 참여하고 있습니다. 손바닥 사이즈의 화면 레이아웃을 절묘하게 활용하여 뭔가 굉장히 중요해 보이는 헤드라인의 결정적인 부분의 단어를 안보이게 기사 제목을 노출시킵니다.

경제적인 요인

예를 들어 '미(美)연준 의장의 금리 인상 시사 발언에 격노한 한(韓)당국'이라는 제목의 기사의 경우, 뭔가 매우 심각한 한미 간 외교문제가 될 듯한 분위기입니다. 그래서 '어랏, 이게 무슨일이래~' 하면서 놀란 마음으로 해당 기사를 클릭하면, 실제로는 제롬 파월 연준 의장의 금리 정책에 대한 한국 고위급관리의 공식 발언이 아니라 재정 당국자 실무회의에 현장의 소리를 청취하기 위해 초청한 민간 기업인의 달러 환율 인상 우려에 대한 볼멘소리를 인용한 것입니다. 뭔가 속은 것 같은 기분이 들어 기사의 제목을 다시 보니 이번에는 스마트폰 레이아웃에 기사 전체 제목이 다 들어와 있네요. 다시 읽어보니 기사 제목은 '미(美)연준 의장의 금리 인상 시사 발언에 격노한 한(韓)당국자 회의에 참석한 수입 목재 회사 사장님의 푸념'이라는 가십성 기사이네요. 이런, 낚였군요.

여러분들도 이런 식으로 기사의 제목을 가지고 장난질을 쳐서 소비자의 클릭을 유도하는 낚시 기사를 마주친 기억들이 다들 한 두번씩 있으실 겁니다. 이렇게 한정된 스마트폰 레이아웃을 교묘히 활용하여 중요한 주어나 목적어를 가리거나 혹은 부정어의 사용을 숨겨 실제 기사 내용과 다른, 혹은 관계없는 '낚시성' 제목을 사용하는 언론사의 관행은 현재의 '관종' 컨텐츠 범람 현상을 보여주는 대표적 단면 중 하나입니다.

이러한 현상의 이면에는 '관종' 컨텐츠를 생산하는 크리에이터 뿐만 아니라 이들의 컨텐츠를 소비하는 사람들의 행동 패턴과도 연관이 있습니다. 뒤에 후술하겠지만 해당 현상을 활용 혹은 조장하는 플랫폼 업체의 비즈니스 활동도 이와 맞물려 돌아가며 상황을 더욱 가속시킵니다. 사람들이 컨텐츠를 소비하는 패턴은 한 세대(35년~40년정도)도 안 되는 동안에 급격히 변하였습니다. 과거 우리 아버지 세대가 마루에서 티브이를 볼 때의 광경을 생각해봅시다. 이러한 경험이 없는 분들께서는 생각 대신 상상을 한번 해보십시오^^;;

1980년대 초 중반의 어느 평범한 가정집의 저녁시간을 상상해보겠습니다. 막 저녁식사를 마친 온 가족은 상을 물리고 티브이가 있는 마루로 모여듭니다. 아직 가부장 문화와 농업사회의 문화가 많이 남아 있던 이 시절, 티브이 정방향 맞은편에는 아버지와 할머니가 나란히 앉아 있습니다. 그 좌우로 평균 3명 이상의 자녀들이 나란히 앉아서 티브이 화면을 바라 보고 있군요. 어머니는 과일 접시를 들고 왔다 갔다 하면서 아버지와 시어머니의 수발을 드느라 제대로 앉아서 편히 쉬지도 못하시는군요.

아버지가 원하는 저녁 뉴스 혹은 드라마를 온 가족이 같이 바라봅니다. 티브이를 보는 가족 구성원들 중 지금 보고 있는 프로그램이 맘에 안 드는 사람들이 분명 있습니다. 15살 난 중학생 딸은 지금 티브이에서 나오는 '전원 일기'라는 드라마가 보고 싶지 않습니다. '전원일기' 말고 얼굴만 봐도 웃음이 터져 나오는 심형래 아저씨가 나오는 '유머 일번지'를 보고 싶지요. 하지만 혼자 보는 티브이가 아닙니다. '유머 일번지'를 보자고 아버지에게 말씀을 드려 보고 싶지만 "계집애가 그 따위 코메디 같은 거나 봐서 뭐에 쓸래? 시끄럽고 이거나 봐."라고 괜히 혼날 것 같아서 꾹 참고 계속 '전원 일기'에 시선을 고정시킵니다. 계속 보다 보니 나쁘지 않습니다. 제법 재미있네요. 그리고 온 가족이 둘러앉아 같은 장면에서 다같이 웃음을 터뜨리거나 추임새를 넣는 것도 나름 즐겁습니다.

이번에는 아버지의 입장에서 위의 광경을 바라보겠습니다. 아버지에게 '전원 일기'는 확실히 재미있습니다. 하지만 아버지도 본인의 의사 외에도 본인의 어머니가 이 프로그램을 특별히 좋아하시기에 이것을 같이 보는 의미가 큽니다. 그리고 '전원 일기'는 분명 재미있지만 '전원 일기'를 하기 전 봐야하는 광고는 참 괴롭습니다. 옆에서 주방용품의 광고를 보며 눈을 반짝이는 어머니와는 달리 관심도 없고 쓸데도? 없는 광고를 5분이나 봐야 하니 참 재미가 없군요. 마음 같아서는 광고를 하는 동안 텔레비전 채널을 조정하는 손잡이를 손으로 돌려서 잠시 다른 것을 보고 싶긴 하지만 벌떡 일어서서 텔레비전까지 걸어가서 채널을 바꾼 후 자리로 돌아와야 합니다. 그리고 다시 몇 분 후에 또 일어서서 다시 '전원일기'로 채널을 바꿔 놓은 후 다시 자리로 돌아올 생각까지 하니 좀 귀찮습니다. 더욱이 다른 채널에서도 지금 재미있는 프로그램이 나온다는 보장이 없습니다. 그리고 어쩌면 다른 채널도 지금 다 광고방송을 할지도 모릅니다. 그래서 그냥 참고 봅니다. 그 사이 담배라도 한 대 피워 물면 되니까요. 담배를 피우고 있자니 기다리는 시간이 별로 지겹지가 않습니다. 그냥 잠시만 기다리면 해결될 문제이니까요. 멍하니 광고를 바라봅니다. 광고방송에는 요즘 인기가 있는 가수도 나오고, 코미디언도 나오고 그러네요. 보다 보니 그냥 저냥 볼만은 합니다.

12살 난 장난꾸러기 막내아들은 아까부터 몸이 배배 꼬입니다. 아빠는 맨날 전원일기 아니면 전두환 대통령이 나오는 뉴스만 봅니다. 지금 티브이에는 한창 '가요 톱텐'이 할 시간인데요. 윤수일 아저씨가 '아파트'를 부르며 고개를 까딱 까닥하는 것을 보고 싶은 걸요. 가사도 아직 다 못 외웠는데 이번에도 못 보면 그 부분 가사가 어떻게 되는지 또 모르고 넘어가게 됩니다. 이번에도 아이들 앞에서 '아파트'를 부르면서 모르는 부분을 웅얼웅얼 얼버무리며 지나칠 순 없습니다. '전원일기' 광고를 하는 동안 텔레비전 손잡이를 이리 틀었다 저리 틀었다 하면서 윤수일 아저씨가 언제 나오는지 수시로 확인을 해봅니다. 드디어 화가 난 아빠가 머리통에 꿀밤을 먹이면서 방정맞게 수선 떨지 말라고 호통을 치십니다. 치잇, 윤수일 아저씨는 그림자도 못 보고 머리통엔 딸기 만한 혹만 생겼군요. 화가 나서 방에 들어갈까 하다가 방에서 교과서를 보느니 전원일기를 보는 게 낫다고 판단합니다. 그냥 참고 봅니다. 보다 보니 확실히 국어 교과서보다는 더 재밌군요.

미디어 컨텐츠를 소비하는 1980년대 평범한 가정의 모습을 살펴봤습니다. 느낌이 어떠신가요? 컨텐츠를 소비하는 패턴 자체가 현재와는 많이 다르지 않은가요? 이 당시의 가족 구성원의 구조라던가 가정 내 권력 관계 등 문화적인 차이도 크고, 과학기술의 발전과 보급이 아직 더디어 가정당 한 개 혹은 두개의 미디어 기기밖에 없다는 것도 오늘날과 많이 다르지요. 게다가 사람의 인지 및 감정 반응의 변화를 실시간으로 반영해줄 만한 도구도 없네요. 당시에는 리모컨도 흔치 않았으니까요.

문화적(여러 세대, 대가족, 가부장 문화), 물리적(하나뿐인 미디어 기기, 리모컨의 부재 등) 제약으로 인해 몇십 년 전의 인류[20]들은 위의 예에서 서술한 대로 약간의 지루함이나 지겨움을 참아내는 것을 당연하게 생각해왔습니다. 사실 그 당시에는 그게 뭐 크게 대단한 일도 아니었구요. 그렇기에 자극에 반응하는 신경 시스템이나 뇌의 기능적 작용도 이에 맞추어 작동했을 겁니다. 뇌의 정보처리 업무도 그리 과하지는 않았을 테구요. 뭐 좀 우리식의 표현대로 구수하게 말해보자면 뭐든 좀 느리고 여유가 있었을 겁니다. 조금 문학적으로 표현해 보자면 기다림의 미학이 있던 시기였고, 원숙한 즐거움은 뜸들일 줄 아는 지혜와 시간의 세례라는 숙성을 통해 찾아온다고 믿었던 시기였습니다. 사실은 문화적, 물리적 제약으로 인해 자극과 인지 반응의 변화를 실시간으로 반영할 수 없었던 현실을 위와 같은 멋진 말로 치장한 것일 수도 있지만요.

---

20 의도적으로 도발적인 표현을 사용했습니다. 40년 전 인터넷 이전 시대의 인류는 현생 인류와는 종(種)이 다르다는 주장을 하고 싶었습니다. 즉 디지털 네이티브와 아날로그 네이티브의 구분을 하고자 하였습니다. 여기서 문화적으로 굉장히 특이한 현상은 이런 종(種)의 분절이 세대와 세대의 분리처럼 개체 사이의 명확한 분리로 나타나지는 않는다는 점입니다. 디지털 네이티브와 아날로그 네이티브 사이의 낀 세대는 한 몸에 두 인류의 형질을 모두 보유하고 있다는 점에서 매우 독특합니다. 일반적으로 생물학적 진화는 부모 세대의 유전자가 다음 세대로 전해지는 유전자 교환의 과정에서 변이가 발생해서 나타나게 됩니다. 그래서 진화에 성공한 자식 세대의 유전형질은 진화 전 부모 세대의 유전형질과는 다릅니다. 하지만 2022년 현재 30대에서 50대 사이의 한 세대 정도는 아날로그와 디지털 양쪽 세상에 대해 모두 충분한 경험을 가지고 살아가는 매우 특별한 세대라고 생각합니다. 즉, 디지털 인류와 아날로그 인류, 이 두 종(種)의 사회적 형질을 모두 가지고 있는 흥미로운 세대이지요. 이 기간 동안 아날로그적 사고방식에서 디지털적 사고방식으로 바뀌어 간 동일 개체의 중추신경계의 패턴 변화를 추적해보면 매우 흥미로운 결과를 얻을 수 있지 않을까 생각합니다. 생물학적 진화가 한 개체가 살아가는 동안 그 몸 안에서 일어난다면 이 어찌 흥미롭지 않겠습니까?

2022년 현재의 우리 디지털 인류는 불과 40년 만에 이러한 문화적, 물리적 제약에서 벗어나게 되었습니다. 우리는 이제 더 이상 심심하고 지겨운 상태를 '참아주지' 않습니다. 우리의 뇌는 끊임없이 새로운 자극과 새로운 재밋거리를 찾고자 쉴 새 없이 손가락을 움직이며 컨텐츠 사이를 왔다 갔다 합니다. 새롭고 재미있어 보이는 컨텐츠는 하루에도 수 천, 수 만 개씩 쏟아져 나옵니다. 결국에는 컨텐츠를 온전히 소비하는 시간보다 컨텐츠를 선택하기 위해 브라우징하는 시간이 더 길어집니다.

많은 사람들이 하루 종일 뭐 하나 제대로 보지도 않고 끊임없이 자극적인 썸네일과 제목만 훑고 있습니다. 볼 것은 널렸는데 사실 취향에 딱 맞는 것을 찾는 것도 쉽지가 않습니다. 추천 컨텐츠 목록의 썸네일을 훑어보다가 재미있어 보이는 것을 골랐는데 막상 틀어보니 이전에 보았던 비슷한 컨텐츠의 재탕이네요. 10초도 안 되어 밖으로 나갑니다. 그리곤 또 브라우징~ 눈에 들어오는 것을 골랐는데 이번에도 별로입니다. 다시 또 나가고 다시 또 브라우징~.

이번에 찾은 컨텐츠는 제법 볼만합니다. 벌써 3분이나 보고 있네요. 근데 전개가 너무 느립니다. 안 되겠어요. 다시 손가락을 움직여 영상을 중간중간 뛰어넘으며 보고 있습니다. 아 이제 드디어 본격적으로 재미있는 장면이 나옵니다. 이젠 건너뛰지 않아도 되겠어요. 근데 왠지 너무 답답해요. 1.2배속으로 봅니다. 이제야 드디어 좀 볼만합니다. 컨텐츠 한 편을 다 봤어요. 근데 뭔가 좀 이상합니다. 재미있었던 것도 같고 그렇지 않은 것도 같습니다. 분명히 보긴 봤는데 내용은 머릿속에 잘 안 남아있네요. 뭔가 뒤죽박죽인 느낌이에요.

컨텐츠에 대한 머릿속의 기억과 느낌을 정리할 틈도 없이, 해당 컨텐츠에 대하여 가족 혹은 지인들과 이야기꽃을 피울 시간도 없이, 시선은 다시 자극적인 썸네일과 제목을 좇고 있습니다. 다시 또 반복. 머릿속은 물먹은 솜처럼 흐릿해집니다. 이젠 눈도 피곤합니다. 하지만 이 핸드폰을 손에서 놓자니 너무 심심합니다. 손에 이 물건이 없으면 너무 허전합니다. 마치 내 몸의 일부가 확장되어서 체화(體化)되어버린 느낌이에요. 어쩌면 내 머릿속과 스마트폰이 블루투스로 페어링 것 같기도 하구요. 그리고 디바이스 간 연결을 통해 폰과 뇌의 정보가 실시간으로 동기화 되는 것 같기도 합니다. 원래는 뇌가 담당해야 할 상황과 자극에 대한 정보 수집, 판단 등의 연산처리 과정을 모두 스마트폰으로 이관한 느낌입니다. 우리 지금 이대로 괜찮은 걸까요?

약간 섬뜩하기는 하지만 위의 상황은 현재 우리의 일상에서 분명히 매일 벌어지고 있는 일입니다. 저 역시도 면밀하게 주의를 기울이지 않으면 아무 생각 없이 멍하니 손안에 펼쳐진 자극적인 세계에 빠져 제 의식의 주도권을 놓치게 됩니다. 그저 멍하니 제 마음의 흐름을 손 안의 가상세계에 맡긴 채 화면을 응시하고 있지요. 그것도 무엇인가에 집중하는 게 아니라 조금이라도 더 재미있을 것 같아 보이는 무언가를 끊임없이 찾으면서 말이지요. 자극에 대한 전체적인 감각기관의 반응이 느려지고 둔감해지는 것이 확실하게 느껴집니다.

생물의 신경 반응 메커니즘 상 감각 세포들은 외부의 자극에 쉽게 적응하게 됩니다. 자극의 강도가 세지거나 자극에 노출된 시간이 길어지게 되면 신체에 전해지는 충격의 총량이 커지게 되고 이를 위해 해당 기관에 자원을 많이 배분해야 하는, 생존에 불리한 환경에 직면하게 됩니다. 그래서 적당한 시점에 특정 자극의 전기 신호가 뇌에 전달되는 과정을 적절히 제어하게 되는 겁니다. 그렇기에 우리가 어떤 냄새에 오래 노출될 경우 우리의 후각은 해당 자극의 정보처리를 멈추게 되는 겁니다. 즉 자극의 강도와 감각의 차단 기제는 서로 상승작용을 합니다. 군비 경쟁의 메커니즘과 동일한 메커니즘입니다. 창이 날카로워질수록 방패는 튼튼해지는 법이니까요. 생태계와 유기체는 늘 이런 식으로 적절한 균형상태를 맞추어 나가게 됩니다.

위의 논리가 사실이라면 2022년을 살아가는 현대인들은 강하고 말초적인 자극이 오지 않는 이상 주의력이 쉽게 작동하지 않게 됩니다. 어지간한 자극에 대해서는 이미 무감각해진 우리의 감각 신경들은 현재 수준보다 더 높은 수준의 강렬한 자극이 와야지만 간신히 반응을 보입니다. 이렇게 우리의 관심이라는 자원은 이전에 비해 몹시 차지하기 어려운 대상이 되었습니다. 어느 누구도, 어떤 미디어 컨텐츠도 우리의 관심이라는 희소한 자원을 독차지하기는 쉽지 않아졌습니다. 사랑하는 연인들끼리도 이제는 서로를 독점하기가 쉽지 않습니다. 이들은 이제 그 어떤 매력적인 연적(戀敵)보다 더 강력한 라이벌의 등장으로 인해 연인의 관심을 오롯이 차지할 수가 없습니다. 처절하도록 슬픈 일입니다. 희랍 시대의 서정 시인이 있었다면 이렇게 노래를 불렀겠네요.

'내 두 눈에 비친 그대 눈동자에 영원한 축복을~

단 한번만이라도 그대 눈 안의 세상을 온전히 차지하고 싶었소
그대를 바라보는 나의 눈빛을 외면하지 말아주오.
나 아닌 다른 세상을 보며 웃음 짓는 그대여
아무렇지 않은 척 미소 지으며 그대를 바라보지만
나의 마음도 이제는 지쳐가나 보오.

그대 안에 내가 없듯이
이제 내 안에도 그대가 작아지고 있나 보오.
작아지는 내 안의 그대 흔적을 잡아보려 애쓰지만
움켜쥔 손아귀에서 빠져나가는 모래알과 같이
그대의 공허한 눈빛은 내게서 멀어져만 가오.

봄꽃 같이 수줍게 찾아온 그대여
가시는 길은 빗물에 씻겨가는 한 조각 종이배 같소
머물렀던 흔적도 없이
헤어짐의 미련도 없이
그렇게 가벼이 아무 일 없었던 듯이 나를 지나 가버리셨소

내 훗날 레테의 강21을 건너기 전 잠시 멈추어 그대를 기다려 보겠소
그곳에서 그대를 만나게 된다면
그대가 그 강을 건너기 전 아주 찰나의 순간이라도
나 그대의 두 눈 안에 모든 순간이 되고 싶소

그대여 아직 그 강을 건너지 말아주오
아직 내겐 남은 사랑이 있소
그대여 그 강을 건너지 말아주오'

---

21 희랍 신화에 나오는 강. 희랍 신화에 따르면 망자들이 저승으로 갈 때 이 강을 건너가야
만 합니다. 다만 이 물을 마시면 이승에서의 모든 기억을 잃게 된다고 전해집니다.

신(新)공무도하가 – '라이크를 부르는 심리'의 저자 지음

현대인의 관심을 쟁탈하기 위한 컨텐츠 미디어의 경쟁은 날로 심해져 가고 있습니다. 우리들의 주의를 획득하기 위해, 손가락의 선택을 받기 위해, 무뎌진 소비자들의 감각 신경 사이를 비집고 들어오기 위해 컨텐츠 크리에이터들은 끊임없이 자극적인 소재와 제목을 가지고 우리들의 시선을 유혹하려고 합니다. 이미 우리들은 긴 시간 동안 현란하고 화려한 내용에 끊임없이 노출되었기에 여간한 자극에는 반응을 보이지 않습니다. 그래서 기승전결의 서사 구조를 가지고 있으며 내용의 전개를 이해하기 위해 꽤 긴 시간이 필요한 컨텐츠에는 눈이 가지 않습니다. 동서양의 고전(古典)과 같이 큰 감동과 앎의 기쁨을 주는 컨텐츠는 물론이고 우리에게 카타르시스를 느끼게 해주는 진국 같은 재미를 위해서는 그 내용을 받아들이기 위한 어느 정도의 집중과 인내가 필요합니다. 자고로 큰 보상을 얻기 위해서는 큰 노력과 수고가 필요한 법입니다[22]

　시간을 통한 숙성의 과정 없이 얻을 수 있는 즉흥적인 재미와 감동은 아무래도 그 깊이와 맛이 떨어질 수 밖에 없습니다. 최근의 미디어 컨텐츠는 대부분 매우 빠른 전개 방식과 짧은 플레이 타임으로 구성되어 있습니다. 또한 비주얼, 오디오, 소재나 내용까지 자극적인 경우가 많습니다. 이런 방식으로 얻게 되는 재미는 말초적인 수준에서

---

[22] 제가 여기서 인용은 하였지만 '보상에는 노력과 수고가 필요하다.'라는 말은 사실 제가 꽤나 싫어하는 말입니다. 우리가 살아가는 세계에서 이 말은 반드시 적용되는 물리 법칙인 걸까요? 제발 그렇지 않기를 바랍니다만, 아직까지 제가 살아본 바에 의하면 그런 것 같습니다. 추후 현재의 제 믿음이 통렬하게 깨지기를 바랍니다.

머무르게 되며 휘발성이 강하기에 진득한 감동과 여운을 오래 남기지 않습니다.

더 나쁜 것은 이런 형태의 자극에 지속적으로 노출될 경우 우리가 재미를 느끼게 되는 생체적 메커니즘 뿐만 아니라 우리의 인지능력이 작동하는 방식 마저 단기적, 말초적인 방향으로 변화하게 되어 뇌가 가진 여러 기능적인 부분이 현저히 퇴화될 수 있다는 겁니다. 그래서 음성 언어에 대한 이해력, 문자 언어에 대한 독해력, 장단기 기억력을 포함한 종합적인 인지능력의 저하를 가져올 가능성이 큽니다.[23]

또한 이러한 형태의 미디어 소비는 인지능력 뿐만 아니라 감정을 담당하는 뇌의 변연계에까지 영향을 미치게 될 것입니다. 그래서 감정 조절의 어려움을 겪게 되거나 평범한 일상 자극에 대한 불감증(不感症)혹은 둔감함을 경험할 수도 있습니다. 또한 집중력의 저하와 피로감의 증가, 불안함이 나타나게 되며 이는 다시금 자극적인 미디어에 대한 의존으로 연결되어 미디어를 통해 현실에서 도피하고자 하는 경향이 커져갑니다. 그리고 이렇게 다시 악순환의 강화 고리가 돌아가는군요.

'관종'컨텐츠의 공급과 수요는 서로가 서로에게 영향을 주고 있습니다. 온라인 플랫폼 사업자는 공급과 소비가 잘 연결되도록 이 둘 사이의 거래를 실시간으로 중개해주고 있습니다. 마지막으로 광고주들과

---

23 현재 스마트폰 이용으로 인한 인지능력 저하에 대한 연구가 여러 기관에서 다양한 방식으로 진행되고 있는 것으로 알고 있습니다. 아직 스마트폰이 대중적으로 보급된 지 10년 정도 밖에 되지 않았기에 관련 연구의 인과성 및 상관성에 대한 신뢰도에 의문이 있기에 본문에서는 '가능성'이라는 수준으로 언급을 하였습니다. 하지만 추후 장기 연구에 대한 결과가 계속 나올 경우 스마트폰 사용과 인지능력 저하의 인과성이 충분히 입증될 것이라고 생각합니다.

광고 대행사는 이들이(생산자, 소비자, 유통업자) 행위를 지속할 수 있도록 적절한 보상을 해주고 있구요.

이 중에서 시장의 두 주체인 공급자와 수요자 양측만을 떼어내 생각해보겠습니다. 과연 공급이 수요를 창출하는 것일까요? 아니면 수요가 공급을 창출하는 것일까요? 알 수 없습니다. 다만 최근 경제학자들의 주장처럼 '수요와 공급에는 선후관계가 있는 것이 아니고 가위의 양날처럼 동시에 작동한다.'라고 생각해야 할 것 같습니다. 그런 논리라면 '관종' 행위의 범람에는 괴상한 행위를 하는 그들 '관종'들의 문제만 있는 것이 아니라 우리들 '일반인'들에게도 문제가 있는 게 아닐까요? 아니 더 나아가서 무엇이 '관종'이고 무엇이 '관종'이 아닌가요? 그리고 '관종' 컨텐츠의 공급자만 '관종'이고, 소비자는 일반인인가요? 이러한 부분도 수요와 공급처럼 명확하게 분리하기 어려운 성질이 아닐까요?

'관종' 컨텐츠 수요자가 이것을 소비하는 이유도 사실 '관종'과 연관이 있습니다. 남들의 '관종' 행위를 지켜보는 행위도 소극적이긴 하지만 분명히 '관종'에 대한 관심의 발로입니다. 물론 겉으로는 '쟤내들 도대체 왜 저러냐? 쟤들 완전 Stone kid네' 하면서 욕을 하는 사람들이 대부분일 것입니다. 하지만 솔직하게 하나 물어보겠습니다. 혹시 즐기시는 건 아니구요?

이런 컨텐츠가 싫으면 안 보면 그만입니다. 하지만 계속 보고 계시진 않으신가요? 혹시 이들의 행동을 보면서 본인이 차마 분출하지 못했던 욕구에 대해 카타르시스를 느끼시는 건 아닌가요? 미처 깨닫지 못했던, 혹은 외면하려 했던 본인들 내면의 욕구들을 이런 컨텐츠를 통해서 느끼게 되고 대리 만족을 하는 건 아닌지요? 다시 말씀 드리지만 '관종' 행위의 수요와 공급은 맞물려 있습니다. 그리고 우리는 대부분 이 행위의 생산자임과 동시에 소비자입니다. 이것을 인정해야만 우리는 현상에 대한 올바른 판단이 가능해지고 앞으로의 개선과 발전도 가능해집니다.

소비자가 관종 컨텐츠를 보고 싶지 않다면 이에 대한 소비를 줄이면 문제는 해결됩니다. 그러면 우선 본인 계정의 온라인 플랫폼에서는 '관종' 컨텐츠가 덜 뜨기 시작할 것입니다. 그리고 '관종' 컨텐츠를 소비하지 않는 사람이 늘어나면 늘어날수록 생산자들에 대한 광고비 지급은 줄어들 것이고, 생산자들은 '관종'이 아닌 다른 컨텐츠 제작을 궁리할 것입니다. 결과적으로 '관종' 컨텐츠가 훨씬 적어지게 될 것입니다. 단순한 경제학적 법칙이 작동됩니다.

그렇지만 이 글을 보시는 모든 분들이 이런 결과를 예상하지는 않을 것입니다. 우리가 그러지 못할 거라는 것을 이미 알고 있기 때문입니다. 이미 우리의 뇌는 자극적이고 선정적인 컨텐츠에 의존을 넘어서 거의 중독적인 상황까지 와 버렸거든요. 우리의 뇌는 충분한 자극과 쾌락을 얻기 위해 컨텐츠들을 계속 찾아 헤매일 겁니다. 그래서 우리는 앞으로도 하루에 몇 시간씩 시간을 내서 자극이 강한 컨텐츠를 계속 즐기게 되겠지요. 시간이 없으면 만들어서라도 봐야지요. 멍하니 누워서 이런 것들을 보고 있노라면 어느 순간 죄책감과 '현타'가 몰려오지만 뭐 괜찮습니다. 다시 또 손바닥 안 화면에 눈을 고정한 채 불안한 마음을 외면해버리면 되니까요.

저는 지금 '관종' 행위의 경제학적 차원에 대해서 말씀 드리고 있습니다. '관종' 행위의 생산, 소비, 유통, 보상의 지급(광고 산업)이라고 하는 강력한 회로를 돌며 확대 재생산되는 새로운 문화적 현상에 대한 경제학적인 접근이었습니다. 여기서 잠시 한번 생각해보는 시간을 가졌으면 좋겠습니다. 아래의 두 질문을 읽어 보시고 책장을 잠시 덮은 후 생각해 보시기 바랍니다. 정답은 없습니다. 각자의 생각이 있을 뿐 입니다.

1. 우리는 '관종'의 경제학을 움직이는 이 회로의 어느 고리를 끊어내야 현재의 '비정상적인'? 문화에서 빠져나올 수 있는 것일까?

2. 우리가 굳이 이 고리를 끊어내야 할 이유가 있는 것일까?

유토피아 혹은
디스토피아

전장에서 조금 무거운 주제를 다루었습니다. 여러분들 뇌의 휴식을 위해서 이번 장은 조금 더 가벼운 주제였으면 좋겠습니다만 불행히도 더 무거울 수 있습니다. 그렇기에 잠깐 기지개를 켜시거나 산책을 하셔서 뇌에 신선한 산소를 공급해주시기 바랍니다. 과일을 먹으면서 뇌에 포도당을 공급해 주셔도 좋구요. 여튼 휴식을 잠시 취하셨으면 다시 시작해 보겠습니다.

관심을 받고자 하는 인간의 욕구에 대해 쭈욱 말씀을 드리고 있습니다. 생물학적, 정서적, 경제학적 요인 등 다양한 차원의 가설을 통해 '관종'의 메커니즘을 설명하였습니다. 그 어떤 형태가 되었던 관심을 받고자 하는 본질적인 욕구는 인간의 삶을 구성하는 매우 중요한 요소입니다. 문제는 그 욕구의 해소가 이전과는 달리 점점 디지털 세상으로 옮겨가고 있다는 것입니다. 관심을 주고 받는 가장 효과적인 수단은 따스한 체온의 공유입니다. '내 옆에 네가 있고 네 옆에 내가 있다.'라는 생물학적, 정서적 안정감을 느끼기 위해서 우리는 실재(實在)하는 현실에서 서로의 손을 잡고 서로의 숨결을 느껴야 합니다.

하지만 현재 우리에게 관심을 주고 받기 위해 가장 많이 활용되는 수단이 온라인 공간으로 점점 옮겨가고 있습니다. 상대방의 얼굴과 목소리는 보고 들을 수 있지만 미묘한 감정의 변화나 분위기를 민감하게 알아채기는 어렵군요. 특히 서로의 체온을 느낄 수가 없습니다. 그저 서로 전달하고자 하는 메시지 만이 왔다 갔다 할 뿐입니다. 기계적인 효율성은 떨어지지 않을지 몰라도 진정한 의미의 소통이나 교감과는 거리가 멀어 보입니다.

유토피아 혹은 디스토피아

요즘 사람들은 인스타그램이나 유튜브를 통해 얻는 관심에 꽤 만족을 하는 것 같아 보입니다. 하지만 관심을 받고자 하는 욕구가 과연 이 디지털적인 수단으로 완전히 대체가 가능할까요? 현 인류를 기준으로 볼 때 단언컨대, 아닐 것입니다. 생물학적, 정서적 요인은 말할 것도 없지만 경제학적 요인조차도 디지털 방식만으로는 결코 대체가 안됩니다. 요즘 온라인 커머스의 최신 트렌드도 아날로그적 감성과 방식을 디지털과 접목하는 것이니까요.

디지털을 통한 소통방식이 물리적 공간의 한계를 보완해주는 효율적인 수단이라는 것은 맞습니다. 하지만 인간이 가진 생물학적, 정서적 특성 때문에 디지털 소통방식은 인간이 가진 '관심을 받고자 하는' 욕구를 완전히 채워주지 못합니다. 하지만 매우 우려스러운 것은 우리가 관심을 주고 받는 환경 자체가 점점 디지털 방식으로 쏠리고 있다는 점입니다. 그리고 이것은 Covid-19라고 하는 특별한 상황을 만나 더욱 가속화 되었습니다.

이미 20대 미만의 디지털 네이티브들에게는 이러한 방식의 소통이 그들이 알고 있는 가장 핵심적인 소통 수단으로 고착되어 가고 있습니다. 디지털 소통이 중심이고 대면 만남이 부차적 방식인 세상을 그들은 이미 살고 있는 것입니다. 한 두 세대 정도 더 지나가면 아날로그적 삶의 방식을 간직한 현재의 40대 이후 세대들은 디지털화된 삶의 방식에서 소외될 것이고 삶의 의미를 찾기 어려워할 것입니다. 이것은 '세대 차이' 문제가 아니라 '종(種)변화'의 문제입니다.

아마 앞으로의 디지털 네이티브들은 관심을 주고 받는 주된 경로가 온라인 가상 공간이 된다 하더라도 여기에 크게 이질감을 느끼지 못할 가능성이 크며 따라서 반발도 크지 않을 것입니다. 다만 앞에서 말씀 드렸듯이 관심을 주고 받고자 하는 욕구가 디지털 수단을 통해서만 이루어지게 되고 그러한 변화에 모두 다 적응을 하게 된다면, 그 순간 우리 인류는 2022년 현재의 사피엔스 종(種)과는 다른 그 무엇으로 불리워야 할 것입니다.

체온의 공유를 통한 소통이 없이 살아가는 방식은 인성(人性)의 이탈을 가져옵니다. 우리는 이들을 더 이상 호모 사피엔스 사피엔스라고 부르지 못할지도 모릅니다. 그럼 호모 디지털리스[24] 라고 한번 불러볼까요? 그런데 어쩌면 생물 분류상 호모라는 속(屬)명을 붙일 수 있을지 없을지도 모르겠습니다.[25] 그럼 이 새로운 인류를 무어라고 불러야 할까요? 사이보그? 신(神)? 그리고 이러한 새로운 인류들이 살아나갈 세상은 어떤 세상일까요?

30만년 전 수렵 활동에 기반을 둔 우리 사피엔스 선조들이 사피엔스 종(種)의 멸종을 앞둔 2022년 우리의 삶을 예측하지 못했듯이[26]

[24] 디지털의 라틴어 어원인 디지털리스(Digitalis)를 이용하여 이름을 붙여봤습니다. 그런데 이미 이 호모디지털리스라는 단어를 사용하는 사람들이 있더군요. 이 자리를 빌려 제가 이 이름의 창시자가 아님을 밝혀둡니다.

[25] 극단적인 상상이지만 이 후대의 신인류가 현생인류와의 유전자 교환 활동(Sexual activity를 지칭) 조차 불가능할 정도로 큰 생물학적 차이를 보일 가능성을 염두에 두었습니다.

[26] 문맥상 오만한 가정을 하였지만 그들이 오늘 우리의 삶을 예측했을 가능성 역시 남겨두겠습니다. 예언자와 천재는 어느 시기든 출현이 가능하니까요.

2022년 현재의 현생 인류 역시 후생 인류의 삶의 방식을 예측하기 쉽지 않습니다. 다만 과거와 현재의 사례를 폭넓게 수집하여 변화의 물결에서 특정한 흐름의 패턴을 찾아낸다면 다가올 변화를 조금 더 준비된 상태에서 맞이할 수 있을 겁니다.

천지 운행의 그 큰 변화의 흐름을 거시적인 차원에서는 우리가 피할 수도, 거스를 수도 없겠지만 미시의 영역에서는 각 개인의 삶과 행복이라는 부분을 우리의 의지와 노력으로 미세 조정할 수 있습니다. 그래서 변화에 준비된 개인들은 아마도 변화의 충격파를 조금은 덜 아프게 맞을 수 있을 겁니다. 그럼 이제 소통방식의 디지털화와 함께 생산 활동의 축소라는 현상을 함께 살펴볼 예정입니다. 그리고 해당 내용들을 토대로 우리 삶의 변화 방식을 이해해 보도록 하겠습니다.

앞선 장에서는 생산적인 활동을 강요 받지 않는 우리 아들이 어떤 식으로 하루를 보내는지 살펴보았습니다. 이 친구는 현재로선 무엇인가를 인내하며 생산 활동을 할 필요가 없기에 그저 하루 종일 즐거운 것을 찾아 헤매며 놀고 있습니다. 마찬가지 질문을 독자 여러분들께 던져 보겠습니다. 일을 할 필요가 없는 세상이 되면 앞으로 우리는 무엇을 하게 될까요?

위 질문은 우리가 짧은 시간 안에 직면하게 될 인류사의 큰 도전이자 문명이라는 패러다임을 뒤집어 버릴 수 있는 굉장히 중요한 주제입니다. 현생 인류의 출현 이후로 인간은 생존을 위해 무언가 생산적인(?) 활동을 해야만 했습니다. 그 활동이 어떠한 것이던, 도덕적으로

나 법률적으로나 문제가 되는 것이던, 그렇지 않던 우리는 모두 어떠한 형태로든 생산적인 활동을 해야만 했습니다. 우리는 이것을 흔히 직업이라고 표현하기도 합니다. 인류에게 직업이 없었던 시절은 기독교 신화에 등장하는 에덴 동산에서 여유롭게 노닐던 아담과 이브 시절 외에는 찾아보기 힘듭니다.

각각의 직업에 대한 평가와 가치는 각 문화권과 시대, 지역에 따라 상이할 수 있습니다만 모든 문화권에서 공통적인 것은 그 직업의 귀천을 떠나서 직업이 없는 상황을 금기시한다는 것이지요. 즉, 노동하지 않는 것에 대한 전통적인 혐오가 존재해 왔습니다. 인류의 문명 혹은 생존 자체가 노동력을 기반으로 한 생산에 토대를 두고 있기에 노동을 하지 않는다는 것은 일종의 죄악이었지요. 물론 문명이 발달하면서 인간의 물리적인 노동력에 기반한 생산보다 지적($知的$) 노동력에 기반한 생산 활동이 훨씬 더 큰 부가가치를 생산하게끔 노동 시장의 환경이 바뀌어 왔습니다만 인간은 여전히 어떤 형태로든 노동을 하고 있습니다.

사실 인간의 특정한 지적($知的$) 노동 활동이, 화폐가치로 측정되는 부가가치가 아닌 진정한 의미에서의 부가가치를 창출하는지에 대해서는 논란이 있습니다. 자본을 가진 사람들의 투자 활동은 현대적인 의미에서 엄연히 화폐적 차원에서 부가가치를 창출하는 지적 노동 활동입니다. 그것도 타 직업에 비해서 훨씬 더 존경받고 세련된 직업입니다만 과거에는 양($洋$)의 동서($東西$)를 떠나 이러한 직업군들을 향한 혐오와 차별이 존재해 왔습니다.

지금에야 이러한 업종에 종사하는 사람들이 한 벌에 200만원이 넘는 고급 수트에 가죽으로 된 브리프케이스를 들고 다니는 선망의 대상이 되지만 과거에는 고리대금업자로 손가락질 받으며 오히려 사회적 차별을 받아왔던 시절이 있었지요. 세계적인 대문호 셰익스피어의 작품인 '베니스의 상인'에서도 자본가 혹은 금융업자들에 대한 주류 사회가 갖고 있는 혐오감이 극명하게 드러납니다.[27] 사농공상(士農工商)의 차별이 존재했던 동양 문명권에는 더 말할 것도 없구요. 즉, 생산활동에 대한 평가와 가치는 문화와 환경의 변화에 따라 얼마든지 바뀌게 될 수 있습니다만 무엇이 되었던 생산적인 노동 활동에 종사한다는 것은 어느 문화권에서나 매우 강력한 의무 사항이었으며 이를 지키지 않는 것은 금기시되는 행동이었습니다.

하지만 앞으로 우리의 문명은 인류 역사상 최초로 노동이 없는 삶에 대비해야 할지도 모릅니다. 과학 기술의 발달로 인해 생산성은 급격히 상승하였습니다. 여러 세기에 걸쳐서 급격히 진행된 생산성 혁명은 더 적은 노동 요소 투입을 가져왔으며 이제 전 인류의 기본적인 의식주(衣食住) 활동의 해결을 위해서는 훨씬 적은 숫자의 노동자만

---

[27] 사실 이 부분은 금융업이라는 산업 자체가 악한 행위로 지탄 받아왔던 기독교 문명권의 문화적 관습도 있지만, 금융업에 종사하던 대부분의 사람들이 유대 민족이었다는 사실도 간과할 수 없는 부분입니다. 즉, 샤일록과 같은 사람들은 직업적으로도 천시받는 산업군에 속해 있었고 또한 인종적으로도 당시 유럽인들에게 미움받던 이들이었습니다. 하지만 유대인들이 유럽인들에게 미움을 받는 이유와 그리고 그들이 왜 주로 금융업에 종사 했는지는 마치 닭과 달걀의 관계와 같아서 인과성을 구분해내기가 어려울 정도로 역사의 흐름과 함께 얽혀 있습니다.

을 필요로 하게 되었습니다.[28] 상대적인 부의 개념은 말 그대로 상대적인 것이기에 생산성의 발달과 상관없이 항상 그 격차는 존재할 것입니다. 하지만 기본적인 복지의 수준은 이제 생산성 혁명으로 인해 어느 정도 보편적인 안정화 단계에 접어 들었습니다

우리 주위를 둘러보면 사치스럽거나 품위 유지를 위한 의식(衣食) 활동이 아닌, 생존을 위한 기본적인 의식 활동을 위해서 고군분투하는 사람들은 쉽게 찾아보기 힘듭니다. 2022년 현재 대한민국의 정상적인 급여와 생활비 수준을 고려해본다면 3인 가정의 생계를 책임진 가장이 혼자서 생산활동을 한다 해도 생존을 위한 의식(衣食) 활동의

---

[28] 의식주(衣食住) 중 주거는 다른 두가지(의, 식)와는 조금은 다른 특별한 부분입니다. 주거를 구성하는 땅과 건물을 분리해서 한번 보겠습니다. 땅은 만드는 것이 아닌 이미 주어진 물리적 실체이기에 현재 그 땅을 소유한 자가 본인의 자산에 가격을 붙일 수는 있어도 생산비가 존재하지는 않습니다. (물론 유지 관리 등 파생적인 비용은 있을 수 있습니다.) 건물을 짓는 시공비의 경우 인테리어와 내장재의 수준에 따라서 크게 차이가 날 수는 있지만 표준적인 아파트 시공비를 고려해본다면 땅값에 비해 시공비가 차지하는 원가 비율은 그리 크지는 않습니다.(대한민국 기준) 땅이 존재한다는 가정하에 이 위에 건물을 올리는 시공 자체에 대한 생산성은 기술의 발달과 함께 점점 향상되어 주거를 해결하기 위해 들어가는 노동력 역시 점점 적게 필요할 것입니다. 하지만 주거에 있어서 시공 비용이 줄어든다고 주거의 비용이 줄어든다고 할 수는 없습니다. 시공 비용은 전체 주거 비용의 일부만을 차지하기 때문이지요. 대한민국의 경우 주거 비용의 절대다수를 차지하는 땅의 가격은 날이 갈수록 치솟고 있습니다. 현대사회에서 땅이 차지하는 개념은 매우 특별합니다. 과거와 같이 생산에 대한 기능적 수요는 줄어들었지만 화폐적 부가가치에 대한 부분은 오히려 더 크게 부각되고 있습니다. 땅은 이제 산업 전반에 걸쳐 부가가치 생산의 알파 이자 오메가가 되었으며 인플레이션의 시발점이자 종착점이 되었습니다. 현대사회에서 기본적인 의식(衣食)활동은 큰 문제없이 해결이 가능하지만 안정적인 주거의 문제는 국가 내부적으로 자산의 이전이 이루어지지 않는 이상 해결하기가 쉽지 않은 거대한 벽과 같은 느낌입니다. 그리고 이 주거의 문제는 앞으로도 계급 간 이동을 막게 되는 가장 큰 장벽으로 작용하게 될 것 같습니다.

해결에는 크게 문제가 없습니다.[29] 다만 상대적 부의 비교나 박탈감의 문제는 영원히 해결되기 어렵겠지만요.

앞으로 더 놀라운 속도로 향상될 생산성을 상상해본다면 앞으로의 인류는 더 이상 노동 없이 안락하고 편안한 의식(衣食) 서비스를 누리며 생산 활동이 필요 없는 편안한 삶을 살아갈 수 있을 겁니다. 단, 인구의 기하급수적인 팽창을 효과적으로 잘 제어할 수 있고, 분배의 문제를 잘 해결할 수만 있다면요.

제가 이 부분에 대해서는 자세히 다루고 싶은 마음이 크지만 그러다 보면 본 저작물의 방향성에 혼란이 생길 것 같아 간단하게만 짚어보겠습니다. 우선 인구의 기하급수적 팽창은 피임기구의 발명으로 인해 이미 충분히 제어가 가능해졌습니다. 그리고 만약 기하급수적으로 팽창을 한다 해도, 생산성의 향상 속도가 인구 증가의 속도를 조금이라도 더 앞설 것으로 예상되기에 적어도 식량 부족으로 인한 문제 발생 가능성은 높아 보이지 않습니다. 진짜 까다로운 이슈는 분배의 문제이겠지요.

사실 정치라는 행위 자체가 이 분배의 방식과 기준을 정하는 것에 다름 아닙니다. 그 방식과 기준을 정하는 것이 고등 종교의 율법이 되었고, 각국이 제정하는 헌법의 기본 아이디어가 되는 것입니다. 눈치가 빠른 독자분들께서는 이미 이 분배의 방식과 기준을 정하는 과정

---

[29] 2022년 대한민국의 최저 시급 9160원을 고려하면 주 40시간 근로를 기준으로 한달에 22일을 근무할 경우 최소 월 161만원을 벌 수 있습니다. 아울러 이는 상대적인 부의 개념이 아닌, 어디까지나 생존을 위한 기초적인 의식주 해결을 전제로 하고 있습니다.

에 공정과 정의라는 개념이 배태(胚胎)되어 있음을 느낄 수 있을 것입니다. 결국 우리가 생각하는 공정과 정의라는 가치는 인간이 무리 지어 함께 이루어 낸 협업의 결과물에 대한 기여, 공헌, 과거 행위의 대차 관계, 절박함, 인간의 기본적인 존엄성, 핸디캡에 대한 사회적 동의 등의 요소를 종합하여 각자의 분배량을 정하는 기준입니다. 이 기준에서 벗어나게 될 경우 우리는 그 행위를 '공정하지 않다' 혹은 '정의롭지 않다'라고 말하게 됩니다. 그리고 이 기준을 정하고 집행하는 과정이 정치(政治)행위의 본질이구요. 적어도 제가 생각하는 정치의 정의(定義, Definition)는 그렇습니다.

우리가 만약 공정한 분배라는 정치 행위의 궁극적인 상태를 달성할 수 있을 정도로 문명의 성숙을 이루었다면 우리는 이미 2022년 현재에 전 인류가 먹고 사는 걱정없이 노동 없는 사회로 접어들고 있었을 것입니다.[30] 이 분배 행위에 대한 논의는 현생 사피엔스 종(種)의 문명 발전 단계에 대한 핵심적인 내용을 갖고 있는 주제입니다만, 본 저작물과 직접적으로는 관계가 없기에 여기까지만 하겠습니다. 혹 제가 나중에 이에 대한 추가적인 창작 욕구에 넘쳐나게 된다면 그때 다른 책에서 한번 뵙겠습니다.

---

[30] 이미 현대사회는 전 세계 인구가 충분히 먹고, 입고, 거주할 수 있는 자원을 확보하고 있습니다. 매해 버려지는 수없이 많은 잉여 농산물과 낙농 제품들, 살처분 되는 가축들과 아직 충분히 쓸 수 있음에도 불구하고 매일 엄청난 양으로 버려지는 의류와 각종 생활용품들을 보고 있노라면 마음이 매우 복잡합니다. 세상의 한 켠에서는 무수한 자원들이 이렇게 낭비되고 버려지고 있는데 또 한 켠에는 기본적인 생활조차도 보장받지 못하고 굶고 병들어 죽어가는 우리와 같은 종(種)의 생명들이 있습니다. 세상에 과연 신(神)은 존재하는 것일까요? 세상에 정의와 공정은 과연 존재하는 것일까요? 2000여년 전 사기(史記)를 지었던 사마천이 열전(列傳)의 첫번째 장에서 세상에 과연 천명(天命)이 존재하는지 처절하게 물어 보았던 것과 같은 심정입니다.

유토피아 혹은 디스토피아

매우 낙관적이고 투박한 가정입니다만 위의 두 전제조건을 잘 해결했다고 가정해 보겠습니다. 그래서 현생 인류가 괄목할 만한 생산성 향상을 이루어 냈고, 인구 급증과 분배의 문제를 잘 해결하였습니다. 그래서 극히 일부의 생산활동에 관여하는 엘리트 계층을 제외한 나머지 대다수의 인류는 더 이상 의식주 해결을 위한 노동을 할 필요가 없어진 세상이 왔습니다.

자, 그러면 이제 우리는 무엇을 하게 될까요? 우리 아들이 그러던 것처럼 하루 종일 즐거움을 좇아서 놀이에만 골몰하게 될까요? 아마 그럴 가능성이 매우 큽니다. 그런데 우리 중 대다수가 좇는 즐거움이 어떤 종류의 즐거움이냐에 따라서 우리가 이룩하게 될 문명의 성질과 수준이 완전히 다르게 결정될 것입니다. 말초적이며 휘발성이 강한 자극적인 즐거움에만 매몰될 경우 인류의 수준은 어쩌면 좀비 수준으로 전락할 수도 있습니다.

저는 지금 우리가 이처럼 범람하는 자극적인 미디어 컨텐츠에 무방비하게 노출되어 있으면서도 인성(人性)을 유지할 수 있는 중요한 이유 중 하나가 우리가 여전히 생산활동에 매달려 있기 때문이라고 생각합니다. 아무리 말초적인 쾌락을 계속 좇고 싶어도 우리 대다수의 평범한 사람들은 아침에 일어나 일정시간동안 생산활동을 지속해야만 합니다.

아빠와 엄마는 직장에서 혹은 각자의 사업장에서 일용할 양식을 얻기 위해 고군분투를 하거나 양육과 가사 활동을 위해 많은 시간과 정성을 쏟아야 합니다. 우리의 아이들은 미래의 산업 역군이 될 자격을 갖추기 위해서 생산활동을 준비하는 예비 생산활동[31]에 매진해야 합니다. 운이 좋은 금수저 일부를 제외하면 노동 없이 생계를 유지할 수 있는 사람은 거의 없으니까요.

우리들 대다수의 사람들은 매일 정해진 시간 동안 해야 하는 생산활동을 지속하기 위해서라도 탐닉적이고 중독적인 디지털 향락에서 얼마간 빠져나와야 합니다. 강제적인 셧다운 이군요. 고마워해야 할지 슬퍼해야 할지 판단이 잘 안섭니다만 여튼 그렇습니다. 벌겋게 충혈된 눈과 온갖 번잡하고 시끄러운 자극으로 가득 찬 흐리멍텅한 뇌를 가지고 일을 할 수는 없으니 어쨌든 좀 쉬어 주고, 체력을 회복해서 다시 일터로 돌아가야 하니까요. 하지만 노동이 없는 세상에서는 이런 행동을 제어해 줄 강제적인 요소가 사라집니다. 그렇기에 자기 절제의 훈련이 안된 사람은 아마 하루 종일, 1년 365일, 이런 디지털 향락에 빠져 있을 것입니다. 그것도 자극의 강도는 점점 높아지면서요.

다만 노동이 없는 세상이 온다 해도 일부 엘리트들의 생활 모습은 우리 일반 시민들과는 다르지 않을까 싶네요. 우선 그들은 노동이 없는 세상에서도 생산활동을 지속하고 있을 것입니다. 노동이 없는 삶은 대다수 평범한 사람들의 생산 활동이 없어진다는 의미입니다. 노동이 없는 세상이 오더라도 여전히 생산물을 분배하는 업무, 즉 정치 활동은 존재할 것입니다.

---

[31] 그냥 공부라는 단어를 쓰기가 싫어서 이 단어를 써봤습니다. 공부 공부~ 참 지겹도록 듣던 단어입니다.

이 정치 활동은 분명히 현대적인 개념에서 생산 활동에 속하는 영역이고 그렇기에 '노동'에 해당한다고 할 수 있겠습니다만 그 '노동'의 성질은 매우 다릅니다. 이는 의무보다는 권한이 부각되는 영역의 노동이며 부가가치의 생산이 아닌 분배를 결정하는, '통치'하고 '지배'하는 노동입니다. 사실 예전 군주제 시절 왕의 근무 강도도 상상을 초월할 정도로 높았습니다[32] 그리고 실제로 '정치'라는 행위 자체가 이만저만 어렵고 힘들고 스트레스 쌓이는 일이 아닙니다. 따라서 이러한 형태의 노동도 엄연히 노동이라고 봐야 하겠지요.

아울러 정치 활동 외에도 생산의 영역에서 핵심적인 역량을 발휘하는 일부 테크노크라트[33]들이 여전히 존재할 것입니다. IT기술의 발달로 인하여 지금 존재하는 테크노크라트들보다 훨씬 더 적은 수의 테크노크라트들만 존재하겠지만 여하튼 우리 삶을 지탱해주는 물리적, 디지털 인프라의 유지 보수, 개선을 위해서라도 이 시스템의 구조를 이해하고 모든 것을 통제할 능력이 있는 극소수의 기술 엘리트들은 남아있을 것입니다.

자, 분배의 측면(정치 엘리트), 생산의 측면(기술 엘리트)외에 또 뭔

---

32 국가조직의 시스템이 어느 정도 잡힌 중세 이후, 국가조직의 수반은 아침부터 취침 시까지 각종 회의와 보고, 수업, 결재 업무와 현황 브리핑 참석, 학술 세미나 참석, 각종 행사 참석, 보안업무 확인 및 지시, 사교 행사 참석 등 분(分)단위로 나뉘어진 살인적인 스케줄을 수행해야 했습니다. 특히 조선시대의 영조나 정조처럼 학식이 뛰어나고 일 욕심이 많은 지도자들은 그야말로 일 중독자처럼 일했다고 합니다. 신하들보다 훨씬 더 박식한 데다가 체력도 좋고 일 욕심까지 많은 왕 밑에서 일해야 했던 신하들의 고생이 참 많았을 겁니다.

33 전문지식이나 기술을 바탕으로 조직의 운영이나 정책 결정에 영향력을 행사하는 사람. 분배 행위에 집중하는 일반적인 정치 관료의 범주에서 벗어나는 기술관료 집단을 의미합니다.

가 놓친 부분이 있을까요? 그렇지요. 바로 물리적인 자원을 투입해 줄 자본가 집단(금융 엘리트)이 남았습니다. 아마도 머지않은 미래에는 이렇게 정치인, 기술관료, 자본가 등 세 부류의 엘리트 집단 외 대부분의 사람들은 생산활동에서 배제되어 잉여로운 생활을 하게 될 가능성이 큽니다. 그리고 노동의 '고급스러운' 영역을 독점한 엘리트들은 그들이 수행하는 노동을 고역이 아닌 숭고하고 명예로운 특권으로 여겨 기꺼이 그 노동이 주는 중압감과 책임감을 받아들일 겁니다. 그렇기에 엘리트들은 스스로에게 배정하는 생산물의 분배량을 노동을 하지 않는 일반 대중들이 받는 분배량보다 압도적으로 많게 배정할 명분이 있습니다.

상상하기 힘들 정도의 부와 권력을 가지게 된 엘리트들은 굳이 디지털 공간에 집착할 필요가 없습니다. 일반인들이 본인들의 욕구와 즐거움을 디지털 공간에 투영(投影)시키는 반면에 이들은 자신의 욕망을 현실 세계에서 바로 구현할 힘과 돈이 있으니까요. 또한 이들에게는 여전히 자신의 부와 권력을 지키기 위해서 해야 하는 생산적인 활동이 있기에 물리적으로도 디지털 공간의 쾌락에 오래 젖어 있기는 힘들겠지요.

이들 엘리트들은 휴식이나 쾌락이 필요할 경우, 앞에서 말한 대로 디지털 세상보다는 현실에서 이를 직접 추구할 것입니다. 역설적이게도 디지털 시대의 엘리트들의 일상은 오히려 탈(脫) 디지털화를 추구할 것으로 보입니다. 이들은 디지털을 스마트한 수단으로 활용할 뿐, 일상의 삶이 디지털에 잠식당하지 않도록 생활 환경을 조성해 나갈

유토피아 혹은 디스토피아

것 입니다. 지금도 세계적인 기술 엘리트들은 오히려 디지털과의 적절한 거리 두기를 유지하기 위해 노력합니다.[34]

일반적인 노동 활동을 담당하는 우리 대중들은 생산 방식과 여가의 방식이 점점 디지털에 종속되는 반면 '고급스러운' 노동을 하는 엘리트들은 디지털과 아날로그의 균형을 유지하려고 할 것입니다. 오늘도 우리들의 일상을 유지시키기 위해 애써 주시는 플랫폼 노동자 분들을 생각해봅시다. 이중 물류업에 종사하시는 분들은 현재의 지리적 위치와 상황에 유리한 주문 콜을 하나라도 더 따기 위해 그야말로 스마트폰에서 눈을 떼지 않습니다. 콜을 따내고, 물건을 픽업하고, 배송을 마치고, 결제를 하고, 정산을 완료하고 등등 이들의 생산활동의 모든 단계는 디지털과 연계되어 있습니다. 생산 방식 자체가 완벽하게 디지털에 종속되어 있다는 의미입니다. 휴식 방식도 크게 다르지 않을 것입니다.

반면 엘리트들은 전파가 통하지 않는 공간을 마련해서 정신을 집중한 채로 창의적인 생산 활동을 할 것입니다. 여가가 필요할 때는 조용한 방에서 요가를 하거나 혹은 개인 제트기를 타고 인적이 드문 대자연으로 들어가 모든 디지털 기기를 내려놓고 명상이나 산책 혹은 낚시를 즐깁니다. 디지털이 힘인 세상에서 엘리트들은 디지털을 활용하는 반면 일반 대중들은 디지털에 종속되고 있습니다. 인생은 참으로 역설입니다.

---

34 빌게이츠와 스티브잡스, 에릭슈미트 등 실리콘밸리의 구루(guru)들도 자녀들의 교육목적을 위해 가정 내 전자기기 사용을 엄격하게 제한하고 있습니다.

자, 이제 다시 앞서 질문으로 돌아가 보겠습니다. 어찌되었든 우리 대다수의 인류가 노동이라고 하는 천형(天刑)의 굴레에서 벗어났다고 가정해 보겠습니다. 그래서 일단 우리는 노동 없이 생존의 기본적인 욕구를 해결할 수 있게 되었다고 해봅시다. 하지만 분명한 것은 노동이 없는 세상에서 인류 대부분이 누리는 분배의 양이 결코 사치스러운 삶을 영위할 정도는 아닐 것이라는 점입니다.

생산된 재화의 가장 큰 몫은 여전히 노동에 종사하고 있는, 그리고 노동을 '독점'하는 엘리트들에게 돌아갈 것입니다. 아마 노동이 없어진 시대에 남아있는 핵심적인 노동은 천박하고 힘든, 피해야 할 의무사항이 아니라 존경받는 엘리트들의 고상하고 숭고한 '사회적 책임'일 테니까요. 따라서 노동이라는 이 우아한 활동에서 배제된 일반인들은 그에 상응하는 말 그대로 '기본적인' 분배량만 받게 될 것입니다. 즉 기본적인 의식주 활동의 해결 정도만 가능할 정도의 분배량이지요. 오늘날의 기준으로 본다면 최저임금 수준이 되지 않을까 싶습니다. 여기서 간과해서 안 되는 사실은 기본적인 욕구가 해결된 이후 인간의 욕구는 절대적 가치가 아닌 상대적 가치로 이동하게 된다는 점입니다.

그렇기에 생존에 아무런 지장이 없고, 힘든 노동을 더 이상 하지 않아도 되는 이 지상천국과 같은 세상에서도 사람들은 여전히 만족하지 못할 가능성이 높습니다. 인간의 속성상 우리는 우리의 상태를 끊임없이 주위와 비교하며 살아갑니다. 우리의 눈은 쉴 새 없이 내 손에 쥔 떡의 크기와 남의 손에 쥐어진 떡을 크기를 비교해 보고 남의 담장 너머에 무슨 살림살이들이 있는지 끊임없는 탐색의 눈길을 보냅니다. 남과 비교를 해본 후 스스로의 잘난 부분을 통해 우월감을 만끽하고 이를 상대방에 대한 무시나 경멸로 드러냅니다. 그렇게 잘난 이들끼리 카르텔을 만들어내고 우월감을 바탕으로 한 결속력을 구축합니다. 그래서 그 카르텔이 속하지 않은 다른 집단과 스스로를 구분하면서 계급을 형성해 나갑니다.

그런가하면 어떤 이들은 스스로의 모습과 현실을 볼 때마다 창피하고 부끄럽고 질투가 납니다. 그래서 세끼 밥 꼬박꼬박 먹고 따스한 잠자리에 들면서도 행복하지가 않습니다. 무언가 단단히 잘못된 것 같고 이래서는 안될 것 같습니다. 본인들이 생산에 기여를 했던 안 했던 그 것과는 관계없이 차별 받는 현실이 옳지 않아 보입니다. 모두 다 똑같이 하루에 한끼 먹고 사는 건 참을 수 있어도 누구는 세끼 먹고 누구는 두끼 먹으며 사는 건 견딜 수 없는 게 사람의 마음입니다.

이렇게 노동이 사라진 세상에서는 얼마 남지 않은 희소한 노동을 매개로 사람들 간의 계급이 나뉘어지고 계급 간 갈등이 증폭될 가능성이 큽니다. '노동이 없어진 시대'에서 노동은 너무도 희소하기에 노동은 더 이상 의무가 아닌 특권이 되어있을 것입니다. 그래서 노동이라는 특권을 영위하는 극소수의 엘리트 계급과 노동 없이 생산물을 분배받는 일반인 계급, 이렇게 계급의 고착화가 심해질 것이며 이로 인한 사회적 혼란이 야기될 가능성이 있습니다.

물론 우리 인류의 문명 수준이 충분히 성숙해서 아까 말씀드린 '정치'의 문제가 제대로 해결된다면 이러한 계급의 발생이나 계급 간 갈등 요인은 해결 가능할 것입니다. 이 신성한 '노동'의 특권을 일부 엘리트가 독점하는 방식이 아니라 적절한 기준을 통해 대중들과 공유하는 방식으로 계급의 발생을 차단하고 사회적 혼란을 감소시키는 현명한 결정을 할 수도 있습니다. 하지만 그렇지 않을 가능성이 더 커 보이는 것은 저만의 생각일까요?

노동이 없는 삶은 현재의 우리들이 상상하는 장밋빛 미래가 아닐 수 있습니다. 노동을 매개로 발생한 계급 간 갈등은 사회혼란의 도화선이 될 수 있습니다. 대중들이 가지고 있는 이런 폭발성이 큰 파괴 에너지는 역사를 통해 곧잘 민중 봉기나 혁명을 통한 '레짐 체인지'(regime change)로 나타나기도 합니다. 그렇기에 현 체제의 기득권을 지속하고자 하는 엘리트들은 이러한 계급 간 갈등, 계급 내 문제를 해결하기 위해서 적절한 의식주의 제공과 더불어 전략적인 우민화 정책을 펼치곤 했습니다. 그리고 노동이 없어진 세상에서는 우리가 현재 누리는 디지털 환경이 이 우민화 정책에 핵심적인 프로퍼간다와 함께 말초적인 쾌락의 제공을 담당해주겠지요.

이런 우민화 정책이 잘 통하게 된다면 기본적인 욕구의 충족과 말초적인 쾌락에 길들여진 대중들은 현실의 불공정과 부조리에 귀를 닫고 불만 없이 생을 살아갈 수도 있을 것입니다. 자연의 도전과 응전, 이를 위한 사람들 간의 협업과 놀이를 통해 위대한 문명을 건설했던 인류의 생물학적, 사회적 특질(特質)들이 이러한 반복되는 단순한 일상으로 인해 무너져 버릴지 모릅니다. 그리하여 인성(人性)의 상실이

유토피아 혹은 디스토피아

급속도로 진행될 수 있습니다. 그리고 이미 2022년 현재, 그러한 신호들이 사회 곳곳에서 감지되고 있습니다. 노동이 없는 세상은 어쩌면 유토피아보다는 우울한 잿빛 디스토피아에 가까울지 모릅니다.

그럼 이러한 미래에서 우리가 누리는 일상생활의 모습에 대해서도 잠시 상상해 보아야겠습니다. 앞선 장에서 '인더스트리 4.0'에 대해서 살짝 말씀을 드렸습니다. 기계와 기계, 기계와 인간의 연결성에 대한 주제였지요. 이러한 물질과 생명체 간의 초연결(Super Connectivity)은 문명과 인성의 '패러다임'(Paradigm)을 바꾸는 또 다른 '게임 체인저'(Game Changer)가 될 것입니다.

단기적으로는 '인더스트리 4.0'은 우리에게 매우 안락하고 편안한 삶을 제공해줄 것입니다. 나 자신보다 나를 더 잘 아는 AI(Artificial Intelligence / 인공지능)는 나의 생활방식과 생산방식, 편의성에 최적화된 상황별 솔루션을 실시간으로 제공해줄 테니까요. 그래서 우리는 AI가 제안해주는 솔루션들을 살펴 보고 마음에 드는 옵션을 채택하거나 그 옵션에 대한 일부 수정 혹은 기각을 하면 됩니다. 하지만 결국에는 이러한 제안에 대한 수락, 거절이라는 마지막 결정권조차도 우리가 행사할 일은 거의 없게 될 것입니다.

AI는 사람이 하는 매 순간의 실시간 행동 데이터를 취합한 후 우리의 신체 신호와 물리적 행동들을 수치화하여 분석을 할 것입니다. 그리고 이러한 분석의 결과는 우리 스스로도 알지 못하고 생각지 못했던 여러 원인들을 찾아낼 것이고 이를 통하여 행동을 예측하는 매우 정확한 모형을 수립하게 될 것이기 때문입니다. 이 모형은 누년에 걸친 수 없이 방대한 행동데이터를 기반으로 구성되었기에 이를 통해 사고 전개(展開)의 정확한 알고리즘을 만들 수 있을테고 이는 다시 특정한 환경, 특정한 조건에서 우리가 어떤 것을 원하게 될지를 매우 높은 확률로 예측하게 될 것입니다. 이러한 프로세스를 거쳐서 우리에게 제안하는 선택을 우리가 과연 거절할 수 있을까요? 우리 스스로보다 우리를 더 잘 파악하는 천재 비서에게 모든 것을 맡기게 되지 않을까요?

이 상황이 되면 우리는 우리 삶의 모든 것을 이 천재 AI 비서에게 의탁하게 될 것입니다. 그리고 인간의 뇌는 아마 급격하게 그 기능을 잃어가게 될 것입니다. 더 이상 생존 최적화를 위해서 여러가지 변수를 고려하여 연산을 할 필요도, 생존에 있어 매우 중요한 무언가를 기억해야 할 필요도 없어지고 더욱이 생존을 위하여 미래를 준비하고 예측하고자 하는 창의적인 사고 활동을 할 필요도 없어지니까요. 쓰지 않으면 퇴화가 되는 것은 생물학적 법칙입니다. 그리고 이렇게 퇴화된 연산 기능은 감정을 담당하는 변연계의 변화를 일으키게 될 것입니다. 결국 감정이라는 메커니즘도 생존 가능성을 추론하는 연산 과정의 결과물이니까요. 상상하기 싫지만 미래 인류는 여러 면에서 인간이 아닌 로봇 혹은 특정 자극에만 격하게 반응하는 좀비를 닮아가게 될지도 모릅니다.

디지털 환경에 점령당한 우리 인류의 미래는 어떤 방식으로 전개될까요? 기본적인 의식주가 갖춰진, 노동을 할 필요도 없는, 그리고 쾌락거리가 가득한 디지털 세계가 손끝에 있는 지상천국이 되는 것일까요? 아니면 끝도 없이 음울한 토끼굴 속에서 멍하니 순간의 쾌락에 탐닉하다 번성(繁盛)의 기회를 놓쳐버린 채 멸절 당한 지구 위의 한 실패한 종(種)이 되는 것일까요? 우리 앞에 놓인 미래는 우리가 바라던 유토피아일까요, 아니면 디스토피아일까요? 그 어느 쪽이 되었든 이렇게 다가오는 미래는 거시적으로 결정되어 우리가 받아들여야만 것일까요? 아니면 우리의 의지와 노력으로 유토피아를 만들 수도 있고 디스토피아를 만들 수도 있는 것일까요? 잠시 책을 덮고 생각을 해보셨으면 합니다. 역시 정답은 없습니다. 여러분 각자의 생각이 있을 뿐입니다.

건강한 사회를
꿈꾸며

라이크를 부르는 심리

바로 앞장에서 꽤 무거운 주제를 다루었습니다. 약간 어둡고 무거운 분위기가 맘에 안 드셨다면 이제 마음을 놓으셔도 됩니다. 이제부터 되도록 희망찬 미래를 만들기 위한 여러가지 건설적인 방법을 찾아보려고 하고 있으니까요. 우선 우리가 바라고자 하는 것이 무엇인지를 규명해 보는 게 필요합니다. 우리는 우리 스스로가 무엇을 원하는지 확신할 수 없는 상태입니다. 앞에 나온 '생물학적 요인과 다른 요인들과의 관계' 장에서 '내 마음 나도 몰라'라는 주제로 한참 떠든 기억이 나는군요.[35]

하물며 '나'보다 더 큰 집단인 '우리'가 무엇을 바라고 무엇을 원하는지에 대해서는 그 누구도 확실하게 단정할 수 없습니다. 그렇기에 이런 경우 우리가 무엇을 원하는지 세세하게 직접 지정하는 방식의 접근보다는 일반적으로 사람들이 선호하는 상태들의 집합을 큰 틀에서 추출해내고, 또 일반적으로 사람들이 피하고자 하는 상태들의 집합을 걸러내는 조심스러운 접근을 하는 게 좋을 것 같습니다.

유토피아와 디스토피아의 기준이 무엇일까요? 누구에게는 매우 맘에 드는 상황이 다른 누군가에게는 참을 수 없이 곤욕스러운 상황일 수도 있습니다. 또 누구에게는 좋은 사업기회가 다른 누군가에게는 피착취의 현장이 될 수도 있습니다. 중세의 군주와 영주들에게 봉건제도는 그야말로 유토피아였겠지만 농노들에게는 디스토피아였을 것입니다. 같은 논리로 초기 산업사회의 부르주아들에게 자본주의는 유토피아였겠지만 임금노동자들에게 자본주의는 타도해야 할 그 무엇

---

[35] 기억이 안 나시는 독자분들께서는 30페이지의 내용을 참고하세요

일 수 있습니다.

 각자의 기준과 환경이 다르기에 유토피아와 디스토피아를 구분 짓는 것은 매우 주관적이며 쉽지 않은 일입니다. 그렇기에 다시금 공정과 정의라는 좀 추상적인 개념을 1차적으로 활용해야 할 것 같습니다. 공정과 정의는 옳고 그름을 판단할 수 있는 매우 좋은 개념입니다만 이 역시 매우 추상적인 데다가 주관적이기까지 합니다. 그렇기에 이를 계량화하기는 쉽지 않았습니다. 그렇지만 이에 대한 측정을 가능한 근사치로 전환시킬 수 있는 매우 효과적인 수단을 발명한 사람들이 있습니다.

 바로 영국의 '제레미 벤담'과 '존 스튜어트 밀'이 주창한 공리주의(功利主義, Utilitarianism. 公理主義가 아님!)입니다. 인류 역사상 이만큼 많은 오해와 비판을 받은 사상이 있을까 싶을 정도로 논란이 큰 이론입니다만 그 추구하는 바 자체는 명쾌합니다. 바로 그 집단이 누리는 효용(Utility)의 총합을 극대화 시키는 방향으로 정책을 설계해야 한다는 말입니다. 그래서 개인이 누리는, 혹은 누린다고 생각하는 효용을 1부터 10까지 수치화하여 집단에 속한 개인의 효용 점수를 모두 더하여 그 총량이 큰 정책을 선택한다는 개념입니다. 이것이 바로 공리주의자들이 주장하는 '최대다수의 최대행복'입니다.

 이러한 방식의 측정은 단순한 다수결보다 훨씬 정확히 민의(民意)를 반영할 수 있다는 장점이 있습니다. 다수결 방식은 찬성 혹은 반대라는 형태의 디지털 방식의 선택을 해야 하기에 0과 1사이에 존재하는 수많은 스펙트럼을 전혀 반영하지 못한 채 무게중심이 아주 약간이라도 기우는 쪽으로 자신의 의사를 100% 대변하게 만듭니다.

예를 들어 어떤 사람에게 A라는 안건이 100% 좋을 수도 있지만 다른 어떤 사람에게는 약간의 안 좋은 부분이 있어서 전체적으로는 90%만 좋을 수 있습니다. 또 어떤 사람에게는 A 안건이 좋은 점, 나쁜 점이 정확하게 반반씩 섞여 있어서 50%만 좋을 수도 있습니다. 하지만 누군가가 이 A라는 안건에 대해서 어찌 되었든 의사를 결정해야 한다면 50%에서 1%라도 더 선호하는 쪽에 선택을 할 것입니다. 만약 그 사람의 A 안건에 대한 만족도가 51%라면 그 사람은 찬성이라는 표결을 하게 될 것입니다. 이 경우 이 사람의 해당 안건에 대한 개인적인 만족도는 51%이고 불만족도가 49%이지만 결과적으로 찬성표를 던졌기에 표결에서는 이 사람의 만족도가 100%로 측정되는 것입니다. 다수결 자체가 개인의 효용에 대한 스펙트럼을 제대로 반영하지 못한다는 말입니다.

이런 식으로 과반수의 득표를 하여 의결된 결과는 안건에 대한 전체 집단의 실제 만족도가 표결 결과보다 무조건 낮을 수밖에 없는 한계가 있습니다. 즉, 사표(死票)의 영역이 반대표를 던진 사람들에게만 국한된 것이 아니라 찬성표를 던진 사람들 내부에도 얼마간의 비율로 분명히 존재한다는 겁니다. 그래서 한 사람의 표결안에서도 존재하는 찬반의 비율까지 확인하여 그 집단의 전체적인 만족도를 확인한 후 그 만족도가 가장 높은 방향으로 의사결정을 한다는 것이 공리주의자들이 주장하는 '최대다수의 최대행복'이라는 개념입니다.

이론적으로는 흠잡을 데 없는 매끈한 방식이지만 사실 결정적인 한계가 있지요. 찬성을 하던 반대를 하던 그 결과에 대한 개개인의 찬반 스펙트럼을 확인하기가 불가능하다는 것입니다. 우선 자신의 이런 만족도를 1부터 100까지 명확하게 알아채는 것부터 쉽지 않습니다. '내 마음 나도 몰라'인 상황에서 내가 이것을 정확히 몇% 좋아하는지 본인 스스로도 평가하기가 쉽지 않거든요. 설령 정확하게 평가한다고 가정해도 여전히 문제는 존재합니다. 선거에서 흔히 나타나는 개인의 '전략적 투표' 행위가 훨씬 더 상황을 복잡하게 만들어 낼 것이며 이러한 예상을 바탕으로 결국 자신의 만족도 평가를 왜곡시킬 가능성이 큽니다.[36] 셋째로 개표 과정이 현재의 방식보다 지극히 복잡해져서 투표 점수를 올바르게 계산하지 못할 가능성이 있으며 또한 이 과정에서 개표 부정이 발생할 가능성도 크다는 것입니다. 이런 이유로 '최대다수의 최대행복'이라는 공리주의자들의 '아이디얼'한 아이디어는 현실에서 구현하기가 쉽지 않습니다. 하지만 그 현실적인 적용 여부를 떠나서 그것이 추구하는 바는 공정이라는 목표와 흠잡을 데 없이 일치합니다.

그렇다면 이 '최대다수의 최대행복'이라는 가치를 최대한 조심스럽게 적용하여서 건강한 사회의 모습은 어떤 형태여야 할지 생각해 보겠습니다. 이러한 가치에 부합하기 위해서는 첫째, 사회 구성원들 모두가 기본적인, 그리고 인격적인 수준의 의식주 해결이 가능한 사회

---

[36] 가위바위보 게임을 생각해보시면 됩니다. 아마 다들 다음과 같은 상황을 겪어 보셨을 겁니다. "내가 주먹을 낸다는 것을 상대방이 예측한다면 상대방은 보를 낼 것이고, 그렇다면 내가 가위를 내면 이길테지. 그러면 상대방은 내가 가위를 낼 것을 예상해서 바위를 낼테고, 그렇다면 나는 다시 보를 내면 이길수 있겠지. 하지만 상대방이 여기까지 예상을 해서 가위를 낸다면 나는 바위를 내야 하는데... 이거 어디까지 예상을 해야 하는 거지?"

여야 합니다. 둘째, 일부 엘리트 집단들이 누리는 효용의 총합이 나머지 대다수의 시민들이 얻게 되는 비효용의 총합을 초과해서는 안됩니다. 셋째, 집단의 효용을 최대로 만들어내기 위한 과정 자체가 집단 전체의 효용을 감소시킨다면 이를 시도해서는 안됩니다. 넷째, 세번째 과정에 대한 면밀하고 공정한 검토 시스템이 필요합니다. 다섯째, 집단이 누리는 효용의 총합이 생태계가 경험하는 비효용의 총합을 초과해서는 안됩니다. 여섯째, 인성의 파괴를 막아야 합니다. 그래서 인류가 유기체적 관계를 유지하고 협업할 수 있어야 합니다.

자, 이상 6가지가 제가 생각하는 건강한 사회의 기본적인 요건들입니다. 이렇게 거칠게나마 우리가 일반적으로 선호하는 상태들의 조합을 추출해내고, 우리가 일반적으로 피하고자 하는 상태들을 걸러내기도 하였습니다. 그렇게 이상적인 상태의 조합을 디자인하는데 공리주의자들의 아이디어를 활용하기도 하였구요. 그리고 이 기준 자체가 추상적이며 주관적일 수밖에 없는 한계가 있기에 최대한 실수가 없게, 누구나 쉽게 공감할 수 있는 큰 개론 차원에서 조심스러운 접근을 해보았습니다. 그럼 지금부터 이 여섯 가지 조건들을 하나씩 살펴보도록 하겠습니다.

① 기본적인 의식주 해결이 가능할 것

우선 첫번째 조건인 사회구성원들의 기본적인 의식주 해결 부분은 크게 이견이 없을 것 같습니다. 건강한 사회를 만들기 위한 가장 기초가 되는 부분입니다. 사람이 빵만으로 살수는 없는 법이지만 빵이 없으면 생존 자체가 불가능한 법이니까요. 가장 중요하고 가장 우선시 되어야 할 인권은 '먹고 살수 있는' 인권입니다. 이에 대해서는 추가적인 설명이 굳이 더 필요하지 않을 것 같습니다.

② 소수 집단의 효용이 다수 집단의 비효용을 초과하지 않을 것

그럼 두번째 조건을 살펴보겠습니다. 일부 극소수의 기득권층이 가져가는 효용의 합계가 대다수 시민이 얻게 되는 비효용의 합계를 넘어서서는 안됩니다. 이른바 계급 간의 갈등을 조장하는 불공정한 분배 행위를 해결해야 한다는 것입니다. 이것은 인간의 선의(善意)에 맡기는 것으로는 해결할 수 없기에 정책적인 접근이 필요한 부분입니다. 선의는 환경과 구조의 지배를 받습니다. 선의를 가지려는 의지만으로는 지속적인 선행(善行)을 하기 어렵습니다.

엘리트들이 선의를 바탕으로 일반 대중에게 시혜(施惠)적 정책을 설계하게 될 가능성도 분명히 배제할 순 없습니다. 다만 이들도 사람인데 받는 것 없이 주기만 하는 행위가 언제까지 지속될 수 있을까요? 인간사에 일방적인 시혜(施惠)적 행동은 지속가능하지 않습니다. 오직 호혜(互惠)적 행동만이 지속가능성을 유지시켜 줄 뿐입니다.

엘리트들이 생산수단과 생산활동을 독점한 상태에서 대중에게 제공하는 시혜적 복지에는 유효기간이 있을 수 밖에 없습니다. 생산에 직접적이든 간접적이든 기여하지 않는 사람들이 무엇인가를 끊임없이 분배받는다는 것은 정당한 분배라고 생각하기 어렵습니다.[37] 처음에는 선의로 시혜적 복지를 시행할 수는 있어도 이것이 지속되길 기대하는 것은 무리가 있습니다. 이런 것은 받는 사람들 입장에서도 당당한 수취가 아닌 구걸 행위에 가깝습니다. 그리고 무엇보다 자신의 생존권을 타인의 선의(善意)에 전적으로 의존해야 하는 피동적인 상황 자체가 사람의 인성(人性)을 심각하게 훼손하게 됩니다.

일부 집단이 생산수단과 함께 희소화된 노동을 독점하게 되면 계급 간 분배의 격차는 크게 벌어질테고 극소수의 엘리트들은 생산되는 재화의 많은 부분을 차지하며 대다수의 시민들은 그들보다 훨씬 적은 양을 차지하게 되면서 전체 집단이 누리는 효용의 총량은 크게 하락하게 될 것입니다. 이는 분명히 건강한 사회에 위배되는 조건입니다.

이런 상황을 피하기 위해서는 우선 노동이라는 '희소 자원'을 특정 집단이 독점하는 상황을 예방해야 합니다. 그래서 이 희소한 노동에 가급적 많은 이들이 함께 참여할 수 있는 기회를 제공해주어야 노동의 독점으로 인해 분배가 왜곡되는 구조적 현상을 해결할 수 있습니다. 이 희소한 노동을 공유하는 방식에도 '공정과 정의'를 바탕으로 한 정치행위가 절대적으로 필요하겠지요. 아마 이때에는 노동을 공유

---

[37] 조금 예민한 부분이라서 보충을 좀 하겠습니다. 생산에 대한 기여는 직접적으로 측정되는 경우 외에도 간접적인 방식으로 영향을 미치거나 여러 단계를 거쳐서 파급되는 경우가 있습니다. 그리고 생산활동 자체가 특정 집단 내에서 주기적으로, 그리고 반복적으로 일어나는 경우가 대부분이기에 현재의 생산활동에는 기여하지 못했다 하더라도 과거의 공헌도를 반영할 필요도 있습니다. 이외에도 성장기, 노년기, 임신기 등의 라이프 사이클을 고려하고 특정한 사항 혹은 사회적 약자에 대한 배려도 추가적으로 반영하여야 합니다.

하는 (생산물이 아닌!) 방식을 결정하는 것이 정치 행위의 가장 중요한 기능이 되지 않을까 상상해 봅니다.

사피엔스 종(種) 문명의 성숙을 전제할 경우, 특정한 조건과 공헌도를 따지지 않고 모든 이들에게 기준 없이 무작위로 노동의 기회를 제공해 보는 것도 생각해 볼만합니다. 그래서 고대 희랍 민주정치 시대에 있었던 공직에 대한 추첨제와 윤번제[38] 시스템도 고려해 볼만한 요소입니다. 다만 추첨에 적용될 시민을 명망가 혹은 특정한 기준 이상을 충족한 시민들로 한정하는 것이 아니라 가급적 예외 조항 없이 모든 이들에게 추첨의 기회를 열어 놓는 것입니다. 그래서 이를 통해 희소한 자원인 노동이 모든 이들에게 공평하게 분배될 수 있도록 말이지요.

문명의 집단적인 성숙을 전제로 하기도 하였지만 과학기술의 발달과 첨단 AI(Artificial Intelligence, 인공지능)의 도움을 받게 된다면 평범한 시민들도 정치 행위의 복잡다단한 측면을 능숙하게 수행할 수 있을 것입니다. 이렇게 생산활동에 대한 기여도가 어느 한 계층에 편중된 구조가 해소된다면 계급의 구분과 계급 간 갈등이 사라지게 되고, 사회가 누리는 전체 효용도 증가하게 될 것입니다.[39]

---

[38] 고대 아테네의 정치 제도. 민회에서 추첨을 통하여 지정된 시민들에게 순번에 따라 차례대로 평의회 등 공직에 참여할 기회를 주는 직접 민주주의 시스템을 말합니다.

[39] 일부 집단의 효용이 대다수 집단의 비효용을 넘어서지 않는 사회의 모습만을 묘사하였습니다. 그 상태를 구현하기 위한 구체적 과정에 대한 논의는 이 책의 범위를 벗어나기에 별도로 언급하지 않겠습니다.

　　　　건강한 사회를 꿈꾸며

③ 효용 역진의 예방

세번째 조건입니다. 집단의 효용을 최대로 만들어내기 위한 과정 자체가 집단의 효용을 크게 감소시킨다면 이를 시도해서는 안됩니다. 우리는 바로 앞에서 살펴본 두번째 조건, 즉 일부 소수 집단이 누리는 효용의 합이 대다수 시민이 얻게 되는 비효용의 합을 초과하지 않는 것에 대해 살펴보았습니다. 사실 이것은 우리가 바라는 사회의 결과적 상태입니다. 이상적인 모습에 대해 상상해보는 것은 어렵지 않지만 현재의 상태(As is state)에서 우리가 바라는 결과적 상태(To be state)를 만들어내는 과정 자체는 정말 만만치 않은 난제입니다.

이러한 상태를 이룩하기 위해 수많은 논의와 타협, 격렬한 투쟁과 분열 등 수없이 많은 의견의 충돌이 있을 것입니다. 혹은 유혈 혁명이나 내전과 같은 극단적인 전시 상황도 발생가능하구요. 현재의 체제 하에서 혜택을 받고 있는 계층은 본인들의 기득권을 유지하기 위해 최선의 노력을 할 터이고, 그렇지 못한 계층은 이를 무너뜨리기 위해 최선의 노력을 할 것입니다. 각자 자신의 상황을 유지 하거나 혹은 개선시키기 위한 절박한 노력은 서로 다른 방향의 에너지 간의 격렬한 충돌을 의미합니다.

만약 이러한 충돌을 상대방의 상황에 대한 이해나 존중이라는 세련된 방식을 통해 타협점에 도달하게 된다면 더할 나위 없이 다행이겠습니다만 불행히도 우리는 역사를 통해 이런 우아한 전개를 쉽게 찾아보지는 못했습니다. 대신 우리는 인류의 긴 역사 동안 계급 간 투쟁이나 혁명, 혹은 내전, 더 나아가 국가 간 전쟁이라는 양상으로 매우 자주 목도(目睹)한 바 있습니다. 그리고 더 올바른 세상을 만들기 위해 시작한 초기의 순수했던 운동이 결국 폭력이라는 수단에 의존하게 되어 관계된 사회 집단에 기존 상황보다 오히려 더 큰 해악을 끼치게 되는 경우도 많았습니다.

폭력, 더 나아가 전쟁과 같은 국가단위의 집단적인 폭력 행위는 사회가 누리는 효용의 총합을 현저하게 저하시켜 버립니다. 중국의 전국시대에 묵가(墨家)와 같은 집단이 전쟁을 극도로 경계했던 이유는 도덕적인 이유도 있었겠지만 기본적으로 전쟁이 가져오는 자원의 낭비 때문이었습니다. 절용(節用)[40]이라는 경제적인 개념을 강조했던 이들 협객 집단은 전쟁 행위가 생산이 아닌 파괴 행위임에 주목하고 이것이 자산의 감가상각을 급속도로 진행시키고 있음을 파악하였습니다. 묵가들은 전쟁을 그동안 시민들이 축적한 여러 사회적 자본들을 일시에 소비시켜 버리는 과시적 소비의 대표적인 행위로 규정하고 있습니다. 그리고 이러한 행위로 인해 자원의 효율적인 이용이 어려워진다는 것이지요.

일부 소수집단이 누리는 효용의 총합이 대다수 집단이 얻게 되는 비효용의 총합을 넘어서는 것을 바로잡기 위해 사용하는 폭력행위가 오히려 지금의 불균형을 더욱 심화시킬 수 있다는 의미입니다. 그렇기 때문에 우리는 사회를 진보시킨다는 미명(美名)하에 자행되는 여러

---

[40] 절약과 비슷하면서도 약간 다른 개념입니다. 물건을 쓰되 그것을 용도와 목적에 맞게 절도 있게 쓰는 것을 말합니다.

가지 파괴적이고 폭력적인 행위를 지양(止揚)하고 좀더 온건하게 합의에 이를 수 있는 방법을 찾아보아야 합니다.

폭력을 통해서 체제 전복을 꾀했던 과거의 혁명사를 돌이켜 보면, 그것이 성공으로 이어진 경우는 드뭅니다. 우선 현실적으로 그들이 동원할 수 있는 물리적인 무력, 폭력행위를 지속할 수 있는 자본 조달 능력, 해당 행위를 조직적으로 운영해 나갈 수 있는 행정력 및 가용 인력이 기득권에 비해 떨어질 수밖에 없습니다. 아울러 혁명 세력 안에서 조차 현 체제를 타도하고자 하는 명분과 목적은 입장에 따라 모두 다를테고, 또 혁명 이후 이루어 나갈 국가의 비전에 대해 모든 이들이 일치된 생각을 갖고 있는 것도 아니니까요.

이런 현실적인 이유들 때문에 폭력을 동반한 혁명은 성공 가능성이 매우 낮았고, 설령 일시적으로 체제를 전복시키는데 성공한다 해도 이를 유지해 나가기가 어려워 혁명에 대한 반동(反動)의 움직임에 의해 무너지게 되는 경우가 많았습니다. 운이 좋게 반동의 도전을 잘 막아내어 전혀 새로운 국가운영 비전과 분배 체계를 가진 나라의 건설에 성공한다 해도 처음의 목적(일부 소수집단이 누리는 효용의 총합이 대다수 집단이 얻게 되는 비효용의 총합을 넘어서는 것을 바로잡고자 하는)이 지켜지는 경우는 찾아보기 힘듭니다.

왜냐하면 그 혁명을 주도했던 세력이 집권 세력이 되어서 기존의 기득권 세력의 도전을 성공적으로 물리치게 되는 순간부터 이들 소수 집단은 즉시 새로운 기득권 세력으로 변질되어 버리니까요. 결국 분배의 가장 달콤한 부분을 차지하는 소수 엘리트 세력이 다른 세력으로 교체가 될 뿐, 대다수 민중들이 그 자리를 차지하는 경우는 없었습니다. 100년이 넘도록 근현대사를 피의 역사로 장식했던 20세기의 사회주의 실험이 이를 증명하고 있습니다. 그 허망한 이상을 이룩하기 위해 투쟁을 감내한 대다수 민중들에게 남은 건 폐허가 된 삶의 터전과 사랑하는 이들의 죽음이었지요. 이것이 '집단의 효용을 최대로 만들어내기 위한 과정 자체가 집단의 효용을 크게 감소시킨다면 이를 시도해서는 안된다.'라는 세번째 조건의 의미입니다.

④ 세번째 과정에 대한 면밀하고 공정한 검토를 할 것

자, 이제 네번째 조건입니다. 네번째 조건은 바로 세번째 과정에 대한 면밀하고 공정한 검토 시스템이 필요하다는 겁니다. 세번째 과정이 남용될 경우 공정한 분배를 위한 진보적인 사상의 태동을 원천적으로 봉쇄할 가능성이 있습니다. 즉, 이것이 모든 혁명의 무위론을 주장하는 이론적 근거로 악용될 수 있다는 것입니다. 하지만 제가 말하는 세번째 과정은 모든 진보적 정치 혁신을 배제한다는 것이 아닙니다. 이런 움직임을 폭력적 수단을 통해 관철시키고자 하는 유혹을 피해야 한다는 의미입니다.

공포에 의한 통치방식은 공포의 강도가 지속적으로 커지지 않는 이상 유지 되지 않습니다. 그리고 이는 필연적으로 옆으로부터의 혹은 밑으로부터의 또 다른 폭력에 의해 무너지게 됩니다. 칼로 흥한자는 칼로 망하는 법입니다. 이를 우리는 고대 로마나 중국의 예에서부터 근현대의 혁명사를 통해 아주 잘 확인할 수 있습니다. 제가 생각하는 이상적인 정치 시스템의 교체는 폭력이 아닌, 온건하고 사회적인 대타협을 바탕으로 이루어지는 것입니다. 이것은 폭력에 의한 단기간의 변화가 아닌, 느리지만 사회 구성원들의 공통 의견을 최대한 끌어내고 조율하고 반영한 양보와 타협의 결과물일 것입니다.

폭력은 성공했을 경우 즉각적인 효과를 나타냅니다. 하지만 폭력의 속성상 이런 빠른 결과는 오래 지속되지 않습니다. 우리가 진정한 의미의 변화를 꿈꾼다면 무언가를 단시일 내에 확 뒤집어 엎겠다는 조급함을 버렸으면 좋겠습니다. 그리고 이런 온건한 형태의 진보와 혁신 운동을 거부하는 명분으로 '집단의 효용을 최대로 만들어내기 위한 과정 자체가 집단의 효용을 크게 감소시키면 안된다.'라는 세번째 조건이 악용되는 것에 유의해야 합니다.

또한 이 네번째 조건은 반대 방향으로도 동일한 크기의 가능성을 열어 둡니다. 즉, 현재의 기득권 시스템이 운영되는 상황의 역기능 뿐만 아니라 순기능에 대해서도 공정하게 평가를 해주어야 한다는 의미입니다. 사실 지금 우리가 살아가는 현재의 정치 시스템이 운영되는 데에는 그만한 이유와 사연이 있습니다. 어찌 되었든 현재의 정치 시스템은 몇천 년이라는 역사 이래 다양한 시행착오를 겪으면서 이룩해 온 가장 나은 결과물의 집약체일 가능성이 큽니다.

그리고 현재의 이 체제를 만드는 데 이미 수없이 많은 이들의 노력과 열정, 성공과 좌절의 눈물, 그리고 목숨이 들어가 있습니다. 이것을 만들기 위해 뒤집어 엎었던 기존의 수없이 많은 정치 시스템들, 그 과정 중에 희생된 수없이 많은 목숨들, 그리고 그 과정에서 문명이 때론 발전하고 때론 후퇴할 수도 있었지만 길게 보면 완만하게 우상향하고 있었음을 알 수 있습니다. 그렇기에 역사의 시각에서 보면 현재의 정치시스템도 나름 역사의 발전이라는 긴 과정의 전개를 위해 필연적인 단계일지도 모릅니다.

사실 이런 관점으로 보면 우리가 알고 있는 모든 역사적인 선악의 개념 자체가 모호해집니다. 극단적으로 말하자면 히틀러와 같은 전쟁 범죄자도 거시적인 관점에서 조망해 볼 경우 스스로에게 부여받은 역사라고 하는 이데아의 전개를 몸으로 구현하기 위한 하나의 도구일지 모르겠습니다. 헤겔식으로 말하자면 '절대정신'의 구현을 위해서는 변증법적 '안티 테제'가 필요한 법인데, 히틀러가 행한 악한 행동들이 바로 선과 올바름의 마중물 역할이었다는 주장도 이론적으로는 가능하지요.

또한 현 체제의 건설과 지속에 기여한 기득권 엘리트 계층들에 대한 납득할 만한 보상 시스템도 준비해야 합니다. 기득권을 타도해야 할 타락한 수구 집단으로만 매도하는 혁신세력들의 도덕적 오만 역시 우리가 경계해야 할 또 다른 선입견입니다. 혁신세력들의 지도부조차 그런 독선과 독단에 사로잡혀 있었기에 정권을 차지하게 되면 그들 역시 곧바로 보수화, 교조화 되었던 것입니다. 기존의 기득권 세력을 타도의 대상으로만 볼게 아니라 협치의 파트너로 보아야 합니

건강한 사회를 꿈꾸며

다. 소수이기는 하지만 그들의 효용 역시도 분명히 '최대다수의 최대 행복'이라는 공리(功利)의 총합을 구성하는 중요한 요소이니까요.

엘리트들이 지금까지 해왔었고 기여해왔던 부분에 대한 기득권을 한번에 해체시킬 생각을 하지 말고 사회 속에 깊숙히 축적된 그들의 지분을 인정해주어야 합니다. 명분상으로도 그렇고 현실적인 차원에서도 그렇습니다. 해방 이후 친일파 척결같이 반대할 명분이 전혀 없는 사안에서조차도 우리는 현실적으로 이것을 관철시키지 못하였습니다. 그들은 생존을 위해 그리고 기득권의 유지를 위해 필사적이었고 또 그것을 지켜낼 만한 힘과 네트워크가 있었기 때문입니다.

역사에 가정은 없다지만 만약 우리가 해방 후 친일파들에 대해 퇴로를 조금만 더 열어 두고 조금만 더 온건한 방식으로 친일 잔재 청산을 시도했더라면 오히려 친일파의 척결과 그들의 기득권을 해소시키는 과정이 훨씬 더 쉽게 진행되었을지도 모릅니다. 그래서 올바른 역사 정립이 해방 이후 꽤 빠른 시간 내 이루어질 수 있었을 지도 모릅니다. 이는 막연한 패배주의가 아니라 우리가 갖고 있는 힘과 기득권 세력의 힘에 대한 현실적인 파악이 반드시 필요하다는 의미입니다. 그리고 그 힘의 격차를 확인한 후, 그 격차와 우리가 추구하는 목표 간의 달성 가능한 현실적인 목표를 잡아 하나씩 점진적으로 접근해 나가는 방법을 취하는 것이 옳습니다. 그러한 방법만이 '집단의 효용을 최대로 만들어내기 위한 과정 자체가 집단의 효용을 크게 감소시킨다면 이를 시도해서는 안된다.'라는 세번째 원칙을 지키면서 두번째 조건인 '일부 엘리트 집단들이 누리는 효용의 총합이 나머지 대다수의 시민들이 얻게 되는 비효용의 총합을 초과해서는 안된다.'를 지킬 수 있는 방법입니다.

그러므로 세번째 과정에 대한 면밀하고 공정한 검토 과정을 거쳐서 현 체제와 이의 모순을 극복할 수 있는 수권 체제의 장단점을 서로 비교해 보고 양자 간 보완점과 대체 가능 지점을 연구하여 변화의 충격을 충분히 흡수할 수 있도록 서서히, 그리고 온건하고 평화롭게 체제의 개혁을 시도해야 합니다.

⑤ 효용의 총합이 생태계 비효용의 총합을 초과하지 말 것

자 이제 다섯 번째 조건을 살펴보겠습니다. 집단이 누리는 효용의 총합이 생태계가 경험하는 비효용의 총합을 초과해서는 안됩니다. 인류라는 지구 위에 서식하는 한 개의 종(種)이 결국 기본적인 의식주를 해결하는데 문제가 없게 되고, 또 여기서 더 나아가 '최대다수의 최대행복'이라는 궁극의 집단 공리(功利) 상태를 달성했다고 가정해봅시다. 그런데 이 목표를 달성하는 과정에서 자원의 극심한 낭비와 파괴가 자행되고 타종(他種, 동식물을 포함한 모든 생물을 지칭)의 생존이 치명적으로 위협받는 상황이 발생한다면 우리는 이를 어떻게 해석해야 할까요?

저는 이것을 바라보는 관점이 문명의 수준과 지속가능성을 결정한다고 생각합니다. 인류라는 종(種)이 스스로의 변성만을 달성하기 위해 수없이 많은 자원의 낭비와 더불어 연관된 수없이 많은 동식물의 희생을 강요하는 행위는 지구 위에 서식하는 한 개 종(種)으로서의 유기체적 본질을 망각하는 암세포와 같은 행위입니다. 이러한 행위는 이타주의적 관점에 위배되는 것을 떠나 본질적으로 해당 종(種)의 지속가능성을 현저하게 떨어뜨립니다.

지구라는 생태계는 다원성을 추구합니다. 그 다원성 안에서 다양한 유기체와 무기물이 상호작용을 통해 생태계를 완성해 갑니다. 태양의 복사에너지는 대기(大氣)가 없었을 경우 바로 다시 우주공간으로 방출되었을 것입니다. 대기의 존재로 인해 에너지의 근원이 되는 태양 에너지를 이 지구 안에 가둬둘 수 있는 것입니다. 그리고 긴 시간의 흐름에 따라 대기는 지표와 끊임없이 호흡하며 질소, 산소, 아르곤, 이산화탄소 등의 대기 내 원소의 비율을 적절히 조절하여 왔습니다. 그래서 생명 출현에 유해한 자외선들을 적절히 걸러주는 필터 역할을 하기도 하고, 산소의 농도를 조절해 생명의 출현에 유리한 환경을 조성해 주기도 하였습니다. 이렇게 대기권내 가둬진 빛에너지가 지구 위 생명이 출현할 수 있는 기본적인 환경을 마련해주었습니다.

흙이라고 하는 물질도 몇십억 년에 걸친 긴 시간 동안 무기물과 유기물의 끊임없는 상호작용을 통해 형성된 생태계 내 생명활동의 일환입니다. 그리고 이 흙을 바탕으로 비로소 식물과 동물과 같은 고등한 생명체의 등장이 가능해졌고 이들 동식물들은 광합성과 에너지대사의 과정을 통해 이산화탄소와 산소를 맞바꾸는 가스교환으로 서로 간

의 유기적인 협업 생존 시스템을 개발하였습니다.[41]

식물은 대기의 도움으로 지표와 지상에 머무르는 빛에너지를 활용해 생명활동을 합니다. 빛에너지와 물, 동물들이 내뿜는 이산화탄소를 재료로 삼아 광합성을 하는 거지요. 이 광합성 과정을 통해서 태양의 빛에너지는 화학에너지로 바뀌게 됩니다. 그리고 이중 생명활동에 쓰고 남은 화학 에너지를 자신의 몸 안에 '당(糖)'의 형태로 보관해두게 됩니다. 이렇게 식물의 광합성이라는 노동의 결과물이 바로 초식동물이 활용하는 에너지원입니다.

채소에도, 열매에도, 곡식의 알곡에도, 우리가 먹는 모든 식물성 음식들에는 이러한 식물들의 집중적인 노동의 결과가 들어있습니다. 이 노동의 결과물을 초식동물이 얻어가는 것입니다. 이 잉여생산물에 대한 상위 포식자의 섭취 행위를 우리는 '약탈'이라고 볼 수도 있지만 좀 긴 관점에서 보자면 생산과정에서 축적된 잉여 에너지를 생태계속에서 순환시키는 '공유' 행위로 볼 수도 있습니다.

식물은 태양이 뿌려주는 빛에너지를 포획하여 생명활동을 합니다. 초식동물은 식물이 태양으로부터 축적한 에너지를 '약탈'하여 생명활동을 지속합니다. 육식동물은 초식동물이 식물로부터 축적한 에너지를 다시 '약탈'하여 생명활동을 지속합니다. 최상위 포식자인 육식동물이 죽게 되면 그 사체는 곤충들의 번식에 활용되거나 생명의 근원인 흙으로 돌아가 토양을 비옥하게 만들어서 식물이 다시금 잘 자랄

---

41 대기와 흙의 생성을 묘사한 이 부분은 도올 김용옥의 '중용 인간의 맛'이라는 책의 26장, 지성무식(至誠無識)장의 내용에서 대부분의 아이디어를 얻었고, 많은 부분을 인용하였습니다.

수 있게 만들어주지요. 그리고 그렇게 자라난 식물을 다시 초식동물이 섭취함으로써 생태계의 순환 고리는 완성됩니다.

이렇듯 생태계는 먹이사슬이 묘사하는 피라미드형 수직 구조라기보다는 환상(環狀)형 순환 구조에 가깝습니다. 이런 관점에서 보자면 제가 사용한 '약탈'이라는 표현보다는 서로가 서로에게 에너지를 잠시 빌린다는 표현이 더 정확할지도 모르겠습니다.

흙과 대기는 생명 자체라고 보기는 어렵지만 생명을 태동시키고 생명활동을 유지시키는 근본적인 바탕이 되어주고 있습니다. 이러한 대기와 흙의 생태학적 역할을 고대 동양인들은 천지(天地)의 운행으로 파악하고 이것을 바탕으로 동양사상의 큰 줄기인 태극과 음양에 대한 이론을 세웠습니다. 저는 이를 매우 과학적이고 치밀한 이론이라고 생각합니다. 다만 하나 특이한 사실은 이 지구 생태계를 구성하는 가장 결정적인 요소인 태양의 존재입니다. 태양은 생명활동의 근본입니다만, 지구와 같은 미시 생태계와 상호작용을 하는 피드백 시스템은 아닌 것 같습니다. 태양의 질량, 핵융합의 과정을 통해 방출하는 에너지의 양 등 태양의 변화가 우리에게 미치게 되는 영향은 절대적이겠지만, 우리와 지구의 변화가 태양에게 미치는 영향은 극히 제한적으로 보입니다.

태양은 우리와 상호작용을 하지 않고 무심하고 냉정하게 일방적으로 줄 뿐입니다. 여기에 대해 조금 과도한 문학적 상상과 네러티브를 시도할 수도 있겠지만, 단순하게 말하자면 저는 여전히 우리가 태양에게 영향을 미칠 수 있을거라는 낭만을 버리고 싶지는 않습니다. 다만 태양에게도 영향을 미칠 수 있는 우리 인간의 위대한 잠재력과 지구라는 행성의 중요성을 측정하기에는 우리의 무지(無智)가 아직 두텁다고 스스로 희망적인 위로를 하면서 말이지요.

여하튼 지구 생태계의 순환 시스템 혹은 천지 운행의 시스템은 유기물과 무기물이 상호작용과 소통을 하며 동적인 균형을 맞춰 나갑니다. 이 생태계의 동적인 균형(Dynamic Balance)이 제가 생각하는 태극의 균형입니다. 이 밸런스가 깨어지는 순간 생태계는 건강함을 잃게 되는 것이지요. 생태계를 미시적(微視的)인 관점에서 보자면 우리의 몸을 떠올릴 수 있습니다. 우리의 몸 역시 매순간 내부의 각 조직 및 기관들, 외부의 환경들과 끊임없이 소통하면서 적절한 밸런스를 맞춰 나갑니다. 이 유기체적 밸런스가 깨지는 순간 육체적으로는 건강을 잃게 되고, 정신적으로는 피폐해져 가게 되는 거지요.

지구라는 거시 생태계도 마찬가지입니다. 그리고 이 거시 생태계는 미시적 생명활동의 주체들과 끊임없이 소통하며 유기적인 변화를 주고 받습니다. 따라서 이 거대한 생태계를 구성하는 하나의 미시적 생명 활동 주체에 불과한 인류가 타종(他種)의 생존을 위협하고 멸절시키는 행위들, 더 나아가 흙과 대기라는 천지의 운행시스템을 심각하게 훼손시키며 우리 종(種)만의 번성을 추구하는 행위는 암세포의 맹목적이고 파멸적인 행위와 다를 게 없습니다.

아메리카 대륙에 살던 네이티브 인디언들은 생태계의 이런 유기체적 연결성에 대해서 이해도가 높았던 사람들입니다. 그들은 들소 무리를 사냥할 때에도 무리 내 번식 가능성이 낮고 자연도태 가능성이 높은 개체들을 위주로 사냥하였습니다. 그리고 생존에 필요한 양 이상을 확보하기 위해 무리한 살육을 하지 않았고 더 안락한 생활을 위해 자연을 함부로 훼손하지도 않았습니다. 그들은 잉여 생산물을 축적하기 위한 동물의 남획(濫獲)과 사치스러운 생활을 하기 위한 자원의 낭비가 자연의 순리를 거스름을 이해하고 있었고 이러한 업(業, Karma)들이 순환하여 결국 그들에게도 부정적인 영향을 미칠 것임을 알고 있었습니다.

그렇기에 그들은 그들을 둘러싼 동식물, 생태계에 대한 많은 관심과 애정을 가지고 있었습니다. 이런 생태론적 인식을 하고, 또 이를 실제로 실천하였던 북미 인디언의 문명은 매우 수준 높은 현명한 문명이라고 생각됩니다. 앞서 예를 든 중국 춘추전국시대의 묵가(墨家)들역시 이와 비슷한 사고방식을 가지고 있습니다. 그 시절의 묵가들이네이티브 인디언들처럼 환경보전에 대한 인식과 생태론적인 사고관을 가지고 있었는지에 대해서는 확신할 수 없지만, 자원의 무분별한 남용(濫用)과 훼손을 극도로 꺼려 했었던 것은 사실입니다. 묵가의 관심이 생태계 전체가 아니라 인간에게만 있었다 하더라도 적어도 이러한 자원의 낭비가 결국 인간의 목줄을 조를 것이라는 것에 대해서는 확실히 알고 있었던 것 같습니다.

이렇게 우리 역사의 앞부분에 생태론적 인식을 가진 선진 문명이 이미 존재했었다는 것은 참으로 신선한 충격입니다. 제가 생각하는 문명 발달의 기준은 물질문명의 발달이 아닌 인간 집단의 정신적인 성숙입니다. 물론 기본적인 의식주의 문제와 보건 위생의 문제는 해결되어야 하겠지만 이것이 달성된 이후에 필요 이상으로 더 비싸고, 더 사치스럽고, 더 과시적이고, 더 안락한 말초적 쾌락을 누리기 위한 물질문명의 과도한 추구는 자제하는 것이 옳다고 생각합니다. 물질에 대한 인간의 끝없는 탐욕은 반드시 자연과 생태계의 파괴를 불러오기 때문입니다. 그리고 그것은 필연적으로 인간의 위기로 돌아오겠지요. 어마어마한 채무 이자가 붙어서 말입니다.

그리고 아마도 자연이 인류를 심판하기도 전에 물질과 자원을 둘러싼 경쟁과 인성의 파괴로 인해 인류 집단의 내부적인 붕괴가 먼저 일어날 것입니다. 이것은 인간의 내재적인 악함 때문이 아니라 멀리 보지 못하기에 생기는 무지(無智)가 우리의 내재적인 선함과 밝음을 가리기 때문입니다. 이는 인간이 선천적으로 악해서도 아니고 못되서도 아닌, 단지 널리 보지 못해서, 길게 보지 못해서 생기는 무지의 결과라고 저는 생각합니다.

단견(短見)은 무지를 불러오고 무지는 투명한 유리잔에 더께더께 쌓이는 먼지처럼 우리의 밝음을 가리웁니다. 우리가 남들에게, 그리고 자연에게 행하는 파멸적이고 이기적(利己的)인 행동들이 결국 긴 순환의 고리를 따라 우리에게 돌아올 수 있음을 무지로 인해 알아차릴 수 없기에 우리는 어리석은 행동을 하게 되는 것입니다. 제대로 된 이타적(利他的)인 행동은 내가 나를 희생해가며, 억울해도 참아가며 타인을 위하는 행동이 아닙니다. 지금 행하는 이타적인 행동이 나중에는 우리 집단 모두에게, 더 나아가 결국 나에게 긍정적인 피드백을 줄 것이라는 긴 안목을 가지고 하는 이기적(利己的) 모티브의 행위야말로 진정한 이타적 행동입니다. 결국 궁극의 이타주의는 궁극의 이기주의와 연결되는 법입니다. 다만, 그 기(己)의 범위가 현세(現世)의 내 한 몸이라는 좁은 범위가 아닌, 종교에서 말하는 내세(來世)로까지 확장되거나, 혹은 같은 현세라도 내 가족, 내 집단, 우리 종(種), 더 나아가서는 생태계로까지 확장된 자아(自我)의 개념이라는 것이 차이가 있겠네요.

성숙한 문명과 건강한 사회를 구축하기 위해서는 무분별한 물질문명의 추구를 스스로 제어할 줄 알아야 합니다. 2022년 지금 이미 우리의 과도한 물질 추구 행위로 인한 자연의 훼손이 생태계 자정 능력의 임계점 부근에 이른 듯합니다.[42] 문명과 사회를 더 건강하게, 더 오래 지속시킬 수 있는 힘은 더 멀리 볼 수 있는, 지속가능성의 개념을 포함하는 생태론적 관점에서 나옵니다. 그렇기에 제가 꿈꾸는 건강한 사회의 조건 중 하나가 '집단이 누리는 효용의 총합이 생태계가 경험하는 비효용의 총합을 초과해서는 안된다.'는 것입니다.

---

[42] 사실 정확히 얘기하자면 생태계의 자정능력 임계점이 아니라, '인류가 멸종하지 않을 수준의' 생태계 자정능력 임계점이겠지요. 인류의 멸종과 관계없이 지구 생태계는 그 나름의 모습을 이어 나갈 것입니다. 선사 시대 이후, 인류가 생태계에 끼쳐온 몇천 년간의 영향은 수십억 년이라고 하는 영겁의 시간 동안 변화해온 지구 생태계를 떠올리면 크게 의미가 없는 미미한 수준입니다. 삼림의 파괴, 대기의 오염, 토양의 산성화, 지하수와 대양의 오염, 다양한 동식물의 멸절, 방사성 물질의 유출 등 인간이 자연에 행해왔던 모든 해악들은 영겁에 가까운 충분히 긴 시간 동안 다시 회복될 것입니다. 인간 종(種)의 멸절과 관계없이, 태양이 존재하는 한 말이지요.

⑥ 인성의 파괴를 막을 것

이제 건강한 사회의 마지막 조건이네요. '인성의 파괴를 막을 것'. 이 조건은 앞서 말씀드린 5가지 조건들의 전제 조건일지도 모르겠습니다. 어쩌면 반대로 위의 5가지 조건들을 만족시켰을 때 자연스레 이루어지는 결과 일수도 있겠습니다. 혹은 이런 기계적인 직선적 인과관계를 뛰어넘어 서로 맞물려 상승작용을 하는 관계일수도 있겠네요. 호모 사피엔스라는 종(種)을 뛰어넘는 새로운 도약을 위해는 어쩌면 인성의 파괴가 필요할지도 모르겠습디만, 저는 현재 제가 호모 사피엔스로서 갖고 있는 인성(人性)이라는 기본적인 정체성을 유지할 수 있기를 간절히 기원합니다.

제가 생각하는 인성이라 함은 사람들과의 '이어짐'입니다. 그 이어짐이 만들어내는 '유기적인 연결성'입니다. 디지털 신호로 주고받는 소통이 아니라 체온과 체온이 맞닿는 따스한 '소통'입니다. 타인이 느끼는 즐거움과 고통을 공유할 수 있는 '공감 능력'입니다. 더 나아가 타종(他種)의 생물들과 천지의 운행에 대해서까지 그 공감 능력을 확장시킬 수 있는 '지혜로움'입니다. 오감을 통해서 외부환경의 변화를 기민하게 받아들일 수 있는 '깨어 있음'입니다. 천지가 운행하는 방식에 신비함과 감동을 느낄 수 있는 '심미적 감수성'이 충만한 상태입니다.

위에서 정의한 결과적인 상태를 포함해서 그런 상태에 대한 추구 자체까지도 저는 '인성'이라고 부르고 싶습니다. 그리고 이런 상태를 추구하고자 하는 의지와 열정이 식어 있는 상태를 저는 '인성의 파괴'라고 부르고 싶습니다. 옆에서 나의 가족이, 나의 친구가, 나의 직장 동료가, 혹은 모르는 누군가에게 무슨 일이 벌어졌을 때, 혹은 기쁨을 공유하고 싶어할 때, 또는 고통과 번민에 괴로워할 때, 그들과의 감정적 교류 없이 무관심하게 스마트폰에 머리를 박고 있는 상황을 저는 인성의 파괴라고 부르고 싶습니다. 공감 능력도, 심미적 감수성도, 인지 능력도, 창의적인 지적 능력도 저하되어 감정 교류에 불편함을 느끼는 상황을 저는 인성이 저하되는 과정이라고 부르고 싶습니다.

그렇게 눈 닫고 귀 닫고 오로지 스마트폰만 보며 걸어 다니는 사람으로 뒤덮인 이 거리가 저는 두렵습니다. 뇌의 기능이 저하된 상태에서 특정 자극에만 과하게 반응을 하여 감정 조절과 표현이 점점 서툴러지는 오늘날 우리의 모습은 좀비 영화에서 묘사되는 장면들과 매우 흡사합니다. 이 상태로는 우리가 꿈꾸는 사회로 이행하기가 쉽지 않습니다. 우리가 꿈꾸는 더 높은 수준의, 더 행복한 상태의 문명을 이룩하려면 지금의 모습에서 달라져야 합니다.

이번 장, '건강한 사회를 꿈꾸며'에서는 제가 생각하는 이상적인 사회의 모습과 조건들에 대해서 살펴보았습니다. 하지만 그 모습을 갖춰 가기 위한 구체적인 방법론에 대해서는 다루지 않았습니다. 전술했듯이 각 조건들에 대한 개별적인 방법론은 이 책의 범위를 많이 벗어날 것 같기 때문입니다. 다만, 이러한 사회를 만들기 위한 큰 틀의 방향성 정도는 제시하고자 합니다. 즉, 전술한 5가지의 조건들을 이뤄내기 위한 종합적인 조건이라고 할 수 있는 '인성의 파괴'를 막아낼 수 있는 사회적인 운동을 제안하고 싶습니다. 우리가 더 고등한 문명의 건설을 이룰 수 있도록, 그래서 사피엔스 종(種)을 뛰어넘는 'Beyond Sapiens'로의 진화가 인성의 파괴나 탈피가 아닌, 인성의 보존과 개량이 될 수 있도록 간절히 바라기 때문입니다.

건강한 사회를
만들기 위해

이상적인 유토피아의 모습을 스케치북에 그리는 것은 담대하고도 창의적이며, 공상적인 과정입니다. 하지만 그 스케치북에 담긴 완성된 모습을 실제의 세계에 구현하는 것은 세밀하고 구체적이며 현실적인 과정입니다.

인류의 흐름을 바꾸는 사람들 중에는 스케치를 하는 몽상가도 있고, 그 몽상 안에 구체적인 전략과 행정적 계획을 촘촘히 집어넣는 전략가들도 있고, 그 계획을 몸소 실천에 옮기는 실행가들도 있습니다. 이런 일들을 하는 사람들을 우리는 흔히 혁명가나 풍운아라고 부르지요. 이들의 시도는 시대의 필요와 타이밍에 따라 성공을 한 적도 있고, 실패를 한 적도 많았습니다. 그리고 짧은 성공만을 맛본 후 다시 역사의 뒤안길로 사라져버린 경우도 많았습니다.

세상의 부조리를 해소하고 더 나은 세상을 만들기 위해서는 위에서 말씀드린 몽상가적, 전략가적, 실행가적 능력이 모두 필요합니다. 하지만 일부 천재들을 제외하면 한 명의 풍운아가(혹은 혁명가가) 이 모든 자질을 다 가지고 있기는 불가능하지요. 그래서 각각의 부족한 부분을 보완해줄 강력한 인적 연대가 필요합니다.

중국의 한(漢)나라를 세운 몽상가 유방에게 천재 전략가 장자방과 대군을 이끈 실행가 한신이 있었듯이, 칼맑스에게 엥겔스가 있었듯이, 중국의 공산혁명을 이끈 마오쩌둥에게 저우언라이가 있었듯이 꿈꾸는 사람과 계획하는 사람, 실행하는 사람은 각각의 부족한 부분을 보완해서 공동의 목표를 달성하기 마련입니다. 이 중에 어느 하나라도 부족하여 밸런스가 안 맞을 경우, 혁명은 애초에 불가능하거나 설혹 운 좋게 성공한다 해도 미래에 대한 현실적인 비전과 세부적이고 현실적인 실행 계획의 부재로 인해 빠르게 붕괴되기 마련입니다.

앞장에서 저는 저의 몽상가적 자질을 발휘하여 제가 꿈꾸는 건강한 사회의 모습을 6개의 큰 꼭지로 구분하여 스케치하여 보았습니다. 다만, 아쉽게도 이러한 모습을 현실 세계에 실제로 구현할 수 있는 경륜(徑輪)과 제도적 권한이 제겐 아직 부족합니다. 그리고 현대사회는 고도로 분업화된 사회이기에 과거 중국의 태공망[43]이나 주공 단[44]이 그랬던 것처럼 한 명의 천재, 한 명의 철인왕(哲人王, Philosopher King)이 일시에 천하를 평화롭게 다스릴 것이라고 기대할 수도 없고, 그래서도 안됩니다.

우리에게 필요한 것은 깨어 있는, 각성된 시민들의 집단지성과 이를 실행시킬 수 있는 강력한 연대입니다. 저는 여기서 이를 실행하기 위한 선언문이나 행동 강령을 제시하고 싶지는 않습니다. 이에 대한 구체적인 전략과 실행 계획은 추후 저보다 뛰어난 여러 다른 분들과의 협업의 영역으로 남겨두겠습니다. 대신 여기서는 큰 틀의 방법론 정도만 제시하고 싶습니다. 즉 인성의 파괴를 막을 수 있는 방법, 그래

---

43 태공망(太公望) : 원래 이름은 강상, 혹은 여상으로 알려져 있습니다. 주나라를 건국한 무왕의 아버지인 문왕을 도와 은나라를 무너뜨리는데 핵심적인 역할을 한 천재 전략가입니다. 태공망은 문왕의 아버지 태공(太公), 계력이 천하를 이롭게 하기 위해 기다리던 사람이라는 의미로 지어진 이름이며, 흔히 우리에게는 낚시꾼 강태공으로 알려져 있습니다.

44 주공(周公) 단(旦) : 아버지 문왕, 형인 무왕을 도와 주나라 건국을 주도한 인물입니다. 공자가 꿈에서라도 한번 만나 뵙고 싶어했다던, 중국 문명이 낳은 가장 이상적인 철인왕으로 묘사됩니다.

서 우리가 꿈꾸는 건강한 사회를 이룰 수 있는 큰 틀에서의 방법을 말이지요.

① Digital Distancing (디지털과의 거리두기)

2020년 1월부터 본격화되기 시작한 Covid -19은 우리 사회의 참 많은 부분을 바꿔 놓았습니다. 사실 그보다 4년 전인 2016년, '알파고'와 이세돌의 세기의 바둑 시합이 있을 때만 해도 당시 사회의 분위기는 곧 디지털과 AI가 상용화되어 많은 일자리가 사라지고 우리가 디지털에 종속되는 특이점[45]이 금방 올 것이라고 생각했습니다만, 예상만큼 당시 우리의 문화적, 일상적 환경은 크게 변하지 않았습니다. 그저 컴퓨터가 인간을 앞서는 것이 불가능할거라고 여겨졌던 분야에서 인간을 능가했다는 사실에 전율을 느꼈을 뿐이지요. 그래서 우리는 AI의 발달에도 불구하고 몇만 년을 이어온 인간의 대면(代面)활동에 기반한 사회적 행위를 송두리째 디지털 방식으로 바꾸는 것이 쉽지 않다는 것을 깨닫게 되었지요.

그러나 2020년 초부터 Covid -19 이 맹위를 떨치게 되자 그동안 축적된 기술의 발전은 드디어 힘을 발휘하기 시작하며 인간의 뿌리깊은 관성을 급격히 해체하기 시작하였습니다. 사실 데이터 송수신을 통한 원격 비대면 회의 플랫폼은 Covid 이전 시기에도 이미 존재했습

---

[45] 특이점(Singularity) : 알파고를 개발한 구글의 기술부문 이사, 레이먼드 커즈와일이 주창한 개념으로 인간이 인공지능의 업무방식이나 결과를 이해하지도, 예측하지도, 통제하지도 못하는 상황을 의미합니다.

니다. 다만 이러한 방식의 소통에 대해서 우리는 익숙하지 않았고 거부감이 들었던 것이 사실이지요.[46] 그렇기에 Covid 이전 시기에 우리가 기술적으로 충분히 사용할 수 있었던 비대면 회의 플랫폼에 대한 상용화가 그리 쉽게 확산되지는 않았습니다. 뭔가 답답하고 어색했으니까요. 그리고 현장의 분위기와 사람들의 표정과 느낌이 쉽게 와 닿지도 않았고, 무엇보다 사람들이 모여 있음으로써 발생하는 현장의 에너지가 전달이 안 되었거든요.

하지만 Covid의 발발로 인해 우리는 '평상시라면 하지 않았을' 행위들을 해야만 했습니다. Covid 환경에서도 우리는 먹고 살기 위해 생산활동을 지속해야 합니다. 그리고 현대의 생산활동은 필수적으로 협업 시스템을 요구합니다. 협업을 하기 위해서 우리는 지금껏 직접 만나서 무언가를 하는 '전통적인' 방식을 택하였지만 Covid 상황으로 인해 만날 수 없는 상황이 되자 협업을 하기 위해 '평상시라면 하지 않았을' 비대면 원격 소통을 하게 된 셈이지요.

비대면 방식의 소통은 짧은 기간 동안 사회의 참 많은 부분을 바꾸어 놓았습니다. 여러분들이 흔히 알고 계시는 원격 회의 플랫폼 외에도 각종 배달 어플, 차량 공유 및 호출 플랫폼 등도 모두 큰 틀에서 보면 비대면 방식의 소통을 지향하는 생산수단 혹은 생활수단입니다.

---

[46] 실제로 이와 같은 비대면 방식의 소통이 얼마나 효율적으로 서로 간의 의사를 교환할 수 있을지는 아직 미지수입니다. 대면 방식보다 소통의 질은 떨어질 수 있지만 그에 반해 비대면 방식이 가진 접근 편의성이라는 측면이 감소되는 소통의 질을 상쇄시킬 수도 있습니다. 대면 방식과 비대면 방식의 소통 효율성에 대한 대조 연구는 장기적이고 종합적인 차원에서 충분히 검증되어야 합니다. 다만 여기서는 일단 이 두가지 방식의 소통에 대한 우열(優劣)보다는 새로운 방식에 대한 심리적인 저항감 차원 정도로만 언급하였습니다.

이런 비대면 협업 문화는 사람의 일상과 생활방식, 소통방식에 지대한 영향을 미치게 되었습니다. 일단 우리가 이것에 익숙해지자 점차 사람들과의 직접적인 소통이나 눈맞춤(eye contact)에 불편함을 호소하는 사람들이 늘어나고 있습니다. 특히 디지털 네이티브에 가까운 젊은 세대에서 집중적으로 말이지요.

짧은 시간에 급격하게 이루어진 디지털 라이프로의 전환은 곳곳에서 다양한 사회현상을 야기하고 있습니다. 어차피 우리의 삶이 늦든 빠르든 디지털 방식으로 전환되는 것은 피할 수 없었을 것입니다. 다만, 이러한 변화가 조금 천천히, 그리고 여러 세대를 통해 점진적으로 이루어졌다면 이에 대해 충분히 대비하고 적응할 수 있는 여유가 있었겠지요. 아마도 Covid가 아니었다면 이러한 비대면 소통이 가져올 문제점이나 부작용 등에 대해서 조금은 더 숙고해 보고, 정치적인 방법을 통해서나 시민들의 자발적인 노력을 통해서 지금보다는 더 순차적으로 변화를 추구하며 이로 인한 사회적 부작용을 줄여가지 않았을까 싶습니다.

현재와 같은 급격한 디지털 방식으로의 전환은 인간이 가진 소통의 방식을 근본적으로 무너뜨리게 됩니다. 우리는 점점 더 사람과의 이어짐을 직접적인 방식으로 하지 않고 있습니다. 배달 음식을 시켜 먹을 때, 쇼핑을 할 때, 택시를 부를 때의 우리의 모습을 상상해 보십시오. 내가 발신하는 정보가 상대방에게 그대로 전달되는 것이 아니라 중간에 있는 디지털 중개자에 의해 간접적으로 상대방에게 전달됩니다. 내가 수신하는 상대방의 정보 역시 같은 방식을 통해 간접적으로 전달되지요. 사람 간의 직접적인 소통이 아닌, 디지털 중개자에 의한 간접 소통이 늘어날수록 우리는 인간(人間, 즉 사람 사이)이 아닌 그 무언가가 될지도 모릅니다.

비대면 원격 회의를 할 때, 비록 양방향의 소통은 가능할지 모르지만 역시 체온과 감정과 분위기가 전달되지 않습니다. 소통이 소통다워지려면 신뢰가 형성되어야 합니다. 그런데 이러한 비언어적인 요소들이 빠져있는 소통으로 신뢰가 형성되기는 쉽지 않으며 신뢰가 형성되지 않은 상태에서의 의사 교환은 공회전하기 십상입니다. 아마도 비대면 원격플랫폼을 통해서 교육이나 회의를 해보신 분들이라면 다들 이해하시리라 생각합니다. 이러한 소통방식의 변화와 더불어 앞의 '유토피아 혹은 디스토피아' 장에서 말씀드린 디지털 의존도의 심화가 가져올 여러 병폐들은 결국 인간성의 상실을 가져올 가능성이 높습니다.

이에 저는 이 시대를 살아가는 모든 분들에게 '디지털과의 거리두기'를 제안하고 싶습니다. 우리의 삶의 방식은 불과 한두 세대 전만 해도 디지털과 무관하게 작동하였습니다. 조금 더 불편했지만 조금 더 여유 있었고 오감과 감정을 더 많이 활용하며 조금 더 '인간다운 방식'으로 세상과 접촉하며 살아왔습니다. 생산성의 향상만이 우리가 추구하던 모든 것이 아니던 시절이 있었습니다.

저는 가끔 생텍쥐베리가 쓴 '어린 왕자'의 구절을 마음속에서 되새겨 보곤 합니다. 물 마실 시간을 절약해주는 약을 개발한 장사꾼은 어린 왕자에게 그 약을 설명하면서, 이 약 한 알을 먹으면 일주일 동안

물을 마실 필요가 없기에 일주일에 53분의 시간을 절약할 수 있다고 말을 해줍니다. 그럼 그 절약한 시간으로 무얼 할 수 있냐고 반문하는 어린 왕자에게 장사꾼은 그 시간을 가지고 자기가 하고 싶은 일을 할 수 있다고 친절히 알려줍니다. 하지만 어린 왕자는 속으로 그 시간이 있으면 자기는 천천히 우물을 향해 걸어갈 거라고 생각합니다.

저는 이것이야말로 우리가 현재 빠져있는 디지털 라이프의 역설이라고 생각합니다. 우리는 무엇인가를 더 빨리, 더 많이 하기 위해 앞뒤를 살피지 않고 뛰어가고 있습니다. 생산성 향상을 위해 우리는 수없이 많은 디지털 기기의 도움을 받아 끝없이 근무환경을 개선하고 업무 처리 속도를 높이며 경쟁자보다 더 짧은 시간에 더 많은 정보를 처리하기 위해 고군분투 하지만 그럼에도 불구하고 그 단축된 시간이 가져온 달콤한 여가는 우리에게 주어지지 않습니다. 향상된 생산성이 이제는 기본값으로 설정되기 때문에 우리는 다시금 새로이 설정된 기본값보다 더 빠른 속도를 내야 하는 상황이 되기 때문이지요.

현대의 정치가들과 경제학자들이 거의 종교처럼 신봉하는 경제 성장률이라는 '이데아' 속의 개념[47]은 매년, 매분기, 매월 상대방보다, 그리고 내 자신의 과거 기록보다 더 뛰어난 생산성 향상을 이루어 내도록 사회를 몰아가고 있습니다. 사회의 분위기 자체가 더 짧은 시간에 더 많은 것을 해내야만 살아남을 수 있도록 몰아가고 있기에 우리

---

[47] 경제 성장률 자체가 허상이라는 말은 아닙니다. 다만 이를 측정하는 과정에서 발생하는 불가피한, 그리고 인위적인 왜곡의 가능성을 우리는 경계해야 합니다. 그리고 이를 측정하고 표기하는 방법론상의 문제(물가 요인, 통화량 요인, 통계 처리의 함정) 및 경제 성장률 안에 정량화하기 힘든 환경, 육아, 여가, 분배, 행복의 문제를 고려한다면 경제 성장률이라는 개념을 맹신하여 정책 결정의 우선순위로 두는 것은 위험할 수 있습니다.

는 과연 무엇을 위해서 살아가고 있는지 생각할 시간조차 없습니다.

그렇기에 설령 생산성 향상으로 인해 단축된 시간이 우리에게 여가가 주어진다 하더라도 우리는 그것을 가지고 무엇을 해야 할지를 알지 못합니다. 더 이상 우물을 향해 천천히 걸어갈 낭만도, 감성도, 마음속의 여유도 남아있지 않아 보이는걸요. 아니 심지어 우리는 왜 우물을 찾아야 하는지조차도 알지 못하는 것처럼 보입니다. 그저 목적 없이 표류하는, 남들이 하는 대로 따라하는, 도태되지 않기 위해 사회가 강요하는 바를 무비판적으로 수용하는 그런 삶을 살아가고 있습니다.

이제 정말 우리 모두가 동시에 우리의 삶의 방식을 돌아 보고, 멈추어야 할 때입니다. 절벽을 향해 폭주하는 기관차를 멈추기 위해 우리는 깨어 있어야 합니다. 그러기 위해 첫째, 디지털이 더 이상 우리 삶을 지배하도록 내버려두지 말았으면 좋겠습니다. 우선 현재 생업 때문에 반드시 필요한 만큼만 디지털을 사용하고 나머지 시간에는 디지털 환경에서 벗어나기를 바랍니다.

사실 우리의 하루를 냉정하게 돌이켜 보면, '반드시'라는 수식어가 붙을 만큼 디지털 기기가 꼭 필요한 환경은 그리 많지 않을 수 있습니다. 다만 조금 더 편하기에 사용하는 경우가 많습니다. 조금만 더 걷고, 조금만 더 손발이 움직이고, 조금만 더 찾아보면 우리는 우리의 능력만으로도 많은 문제를 충분히 해결할 수 있습니다. 우리의 뇌는 스스로 능동적으로 정보를 처리하고 저장된 정보들을 상황에 맞게 출력할 때 발달하게 됩니다.

그러나 자체적인 연산 과정 없이 떠먹이듯 들어오는 정보와 지식들은 뇌 속에 오랫동안 잘 보관되지도 않고, 활용하기도 쉽지 않습니다. 우리가 문제 해결을 위하여 디지털 기기에 의존하는 만큼 우리의 인지능력과 사고 능력은 퇴화될 수 밖에 없습니다. 점점 더 무언가에 의존하기만 하는 주체성 없는 사람이 되어 가는 거지요. 결국 나중에 우리는 디지털기기의 도움 없이는 아무것도 할 수 없는 무능력한 인류 최초의 세대가 될지 모릅니다.

예전에 봉건시대의 노예와 주인의 우화를 들은 적이 있습니다. 주인은 일어나서 잠자리에 들 때까지 일신상의 거의 대부분의 일을 노예에게 위탁합니다. 아침에 눈떠서 세수물을 준비하는 것부터, 옷을 준비하고, 식사를 하고, 집안의 살림살이를 유지 보수하고, 시장이나 시내에서 해야 할 일을 시키는 것까지 말이지요. 그러던 어느 날 노예가 불의의 사고로 세상을 뜨게 되었고, 주인은 홀로 남게 되었습니다. 노예의 도움에 모든 것을 의존하던 주인은 기본적인 의식주를 위한 활동조차도 스스로 할 수 있는 것이 없었습니다. 밥을 짓는 것도, 옷을 수선하는 것도, 빨래를 하는 것도, 시장에서 장을 보는 것도, 땔감을 구해오는 것도 말이지요. 매사에 어쩔 줄 몰라 하며 서투른 솜씨로 실수만 연발하면서 본인의 무능력에 절망했다고 합니다.

자, 이 우화에 나오는 노예와 주인 중에서 누가 진짜 노예였을까요? 스스로 모든 것을 할 수 있는 노예와 스스로 아무것도 할 수 없는 주인 중 누가 더 노예에 가까울까요? 모든 것을 자신의 힘이 아닌 타자에 의존하는 사람은 결코 홀로 설 수가 없으며 스스로의 삶에 완전한 주인이 될 수가 없습니다. 오늘날 디지털 기기에 모든 것을 과하게 의존하는 우리의 모습에 경종을 울리는 우화가 아닐 수 없습니다.

둘째, 평소에 '심심해서' 습관적으로 디지털 기기를 사용하는 것을 자제하셨으면 합니다. 이 '심심해서' 별 생각없이 사용하는 디지털 의존의 심각성은 앞선 여러 장에서 충분히 설명을 드렸습니다. 심심할 때 습관적으로 핸드폰에 손을 뻗지 마시고 잠시 생각을 해보시기 바랍니다. 지금 핸드폰을 향해 뻗고 있는 내 손의 움직임을 느끼게 될 때면 이렇게 물어보십시오. 지금 핸드폰을 잡기 위해 이 손을 뻗는 일이 '반드시' 필요한 일인가? 내가 이것을 통해서 얻게 되는 말초적인 즐거움이 나의 몸과 마음의 건강과 삶의 균형을 무너뜨리는 것은 아닌가? 하고 말입니다.

우리, 조금만 더 불편해지고 조금만 더 느려지면 됩니다. 어린 왕자에 나오는 물 마시는 시간을 줄여주는 약의 에피소드를 다시 생각해볼게요. 그렇게 일주일마다 절약하게 되는 53분의 시간을 어디다 쓰시렵니까? 기껏 그렇게 절약한 53분을 유튜브 동영상 대여섯 편 더 보는데 쓰시겠습니까? 유튜브 동영상 몇 편 보는 것보다 우물을 향해 걸어가며 사랑하는 사람과 도란도란 이야기를 나누는 것이 몸과 마음의 건강과 행복에 더 도움이 되지 않을까요? 아니면 그렇게 절약한 시간을 다시 또 생산성 향상을 위해 재투자 하시렵니까? 그렇게 끝없이 무언가를 위해 투자만 하다가 짧은 인생을 마치려고 하시나요? 인생의 목적과 의미도 모른 채 스스로 몸과 마음의 건강을 해치면서요? 우물을 향해 걸어가는 그 순간의 낭만과 마침내 그 우물을 발견했을 때의 감격과 성취감도 모른 채로요?

우리 인류는 Covid의 전파를 막고 우리의 삶을 보호하기 위해 2년
이라는 시간 동안 '사회적 거리 두기'를 시행하였습니다. 이제, 우리의
인성을 보호하기 위해, 그리고 우리 인류의 올바른 진화를 위해 전 세
계적인 '디지털과의 거리두기'를 제안합니다.

디지털에서 완전히 벗어나는 것은 불가능하겠지만 덜 쓸 수 있는 상
황에서는 최대한 덜 쓸 수 있도록 노력해야 합니다. 우리는 인간이기
에 기본적인 자기 절제력과 함께 옳고 그름에 대한 직관적인 지성이
있습니다. 조금씩 더 불편해지는 것을 감수하시고 그만큼 우리의 인
지능력과 물리적인 근육을 더 사용해서 보셨으면 합니다.

20여 년 전 핸드폰이 대중에게 보급되기 시작했던 시절에 유행했던
광고 카피가 있습니다. '한석규'씨의 멋진 목소리로 '소중한 순간에는
잠시 꺼 두셔도 좋습니다.'라는 내레이션이 나오던 이동 통신사 광고
였지요. 그 시절보다 훨씬 더 디지털에 앞뒤 없이 빠져 있는 오늘날
의 우리들에게 더 없이 절실한 내레이션이 아닐 수 없습니다. 모바일
스크린에서 잠시 눈을 떼시고 사랑하는 사람과 눈을 마주쳐 보시기
바랍니다. 아마, 당신의 눈길을 느낀 당신의 사랑하는 사람도 스크린
에서 눈을 떼고 당신을 마주 보기 시작할 겁니다. 그리고 그 이전에
는 보지 못했던, 그 존재조차 감지하지 못했던 냉이꽃이 당신의 눈길
을 애타게 기다려오며 거기에 서 있었다는 것을 알게 될 겁니다.

'자세히 살펴보니
냉이꽃이 피어 있다.
담벼락 옆에.'
  - 마츠오 바쇼 (일본의 에도시대의 하이쿠 시인)

② 이 땅의 모든 부모님들에게

* 문명과 교육

자, 이제 건강한 사회를 이루기 위한 두번째 제안을 말씀드리겠습니다. 아마도 이 부분이 저의 글이 이야기하고자 하는 가장 핵심적인 내용이 되겠군요. 건강한 사회를 이루기 위해서는 기본적으로 뒤에 올 세대가 앞선 세대보다 더 건강해야 합니다. 현재의 우리가 어떤 상황, 어떤 수준인지와 관계없이 사회가 건강해지기 위해서는 아랫물이 윗물보다 더 힘차고 수량도 풍부해야 합니다. 우리가 현재 그 어떠한 고도한 문명을 건설한다 하더라도, 우리 뒤 세대가 우리보다 못하다면 그 사회는 결코 건강한 사회라고 부를 수 없습니다.

저는 인류의 진보와 진화를 믿는 사람입니다. 그 진화의 방향성에 대해서는 쉽게 예단을 못 드리겠고, 옳고 그름에 대한 명확한 정의도 내려 드리기는 힘들지만 큰 틀에서 인류는 선대에 비해 더 뛰어난 종족이 될 것이라고 믿고 있으며, 더 행복한 삶을 살 것이라는 희망을 품고 있습니다. 이는 추론이나 예측의 영역이 아닌 '믿음'의 영역입니다.

다만 이러한 문명 차원의 진보가 소수의 집단 안에서, 짧은 시간 안에 이루어진다고 보지는 않습니다. 인류의 축적된 집단지성과 성숙한 문명의 일반적인 정서가 물에 젖어들 듯이 주변으로 확산되고, 또 다음 세대로 전달되며 그 축적된 토대를 밟고 또 다시 진일보 해나가는 과정을 반복할 것이라고 생각합니다.

소수의 천재와 선각자가 깨닫게 된 삶의 정수를, 같은 시대의 동료 집단이나 다음 세대에게 전달하지 않는다면 단언컨대 문명의 발달은 이루어지지 않을 겁니다. 문명은 한 사람의 몸 안에서만 존재할 수도 없고 그래서도 안됩니다. 만약 한사람의 천재만이 가지고 있는 깨달음이라면 그것은 문명이라고 부를 수도 없지요. 그 사람의 생물학적 죽음과 함께 그가 이루어 놓은 모든 성과는 사라질 것이니까요.

우리가 동양의 고전인 논어(論語)의 자한(子罕)편에서 마주하게 되는 사문(斯文)이라는 개념에 도 문명의 특징에 대한 암시가 숨어있습니다. 공자가 광(匡)땅에서 도적으로 오해 받아 목숨이 위험해진 순간이 있었습니다. 공자는 본인이 몸에 익히고 습득한 사문(斯文 : 이 문명. This Culture), 즉 주나라 문왕에서부터 주공을 이어 자신에게 전달되어온 바로 '이 문명'이 자신의 몸 안에 있음을 굳게 믿고 있었고 자신이 여기서 죽게 된다면 이 찬란한 '원시 유학'이라는 사문(斯文)의 법통이 끊기게 될 것이라고 생각한 것입니다. 하늘이 자신의 몸 안에 있는, 그리고 아직 제대로 후대에 전수하지 못한 '이 문명'을 없앨 듯이 있는 게 아니라면 자신은 여기서 죽지 않을 것이라는 굳건한 믿

음을 가지고 죽음 앞에 의연히 맞서는 장면입니다.[48]

사실 저는 논어의 이 부분에 대해서 지금도 공감을 하지는 못합니다. 이 부분은 주나라의 찬란한 인문 문명의 위대함을 선포하고자 하는 지극히 유학자(儒學者)입장의, 유학자스러운 발언으로만 느껴지거든요. 그리고 이 '원시 유학'이라는 문명이 선택된 계승자들에게만 비전(秘傳)되며 법통을 이어 받은 계승자가 죽으면 없어지게 되는 허약한 수준의 학문 체계라면 우리가 이를 애초에 문명이라고 받아들일 수 있을지도 의문입니다. 아울러 공자가 갖고 있는 선민의식이 약간 거슬리기도 하구요. 사실 저 대사 자체가 약간 중2병 스러워 보이며 오글거리는 것도 사실입니다.^^ 다만 제가 여기에서 말하고자 하는 것은 공자의 외침 속에 문명이 갖고 있는 특질이 매우 잘 포착 되어있다는 것이지요.

문명은 인류가 공유하는 집단지성입니다. 그렇기에 자연과 인간 스스로에 대해 알게 된 소중한 정보와 지식은 동시대의 여러 사람들에게 퍼져 나가야 하고, 그렇게 축적된 당대의 지식들이 다음 세대로 전해지며 계승, 발전해 나가야 합니다. 이런 관점에서 저는 '교육'이라는 인간의 활동 자체를 문명의 본질이라고 파악하고 있습니다.

---

48 曰 文王 旣沒 文不在玆乎, 天之將喪斯文也 後死者 不得與於斯文也 天之未喪斯文也 匡人 其如予何! 문왕께서 이미 돌아가셨으니, 문명(주나라의 예악과 제도를 일컬음)이 이 몸에 있지 않겠는가. 하늘이 장차 이 문명을 없앨 생각이었다면 내가 애초에 이 문명을 얻지 못했을 것이며, 하늘이 이 문명을 없애지 않을 생각이라면 어찌 광인들이 나를 해칠 수 있겠는가!

교육을 매개로 하여 우리의 문명과 지식은 공간적으로는 여러 지역에 있는 동시대인들에게 전파되고 시간적으로는 다음 세대에게 전달, 계승되어 갑니다. 그리고 이러한 세대 간 전래(傳來)를 더욱 확실하고 안전하게 해주는 방편으로 인간이 발명한 문자(文字)가 활용되었고, 이 문자를 제대로 이해하고 쓸 수 있도록 익히는 행위 자체가 매우 중요한 교육의 과목 중에 하나입니다.

그렇게 우리가 사문(斯文)[49]을 전수받고, 실천하고, 발전시켜서 다시 후대에 넘겨주는 행위 자체가 문명의 본질에 다름 아닙니다. 우리의 삶을 감싸고 그 사회가 지향하는 바를 규정하고, 선과 악의 정의를 내려주는 사회의 문명은 거시적인 차원에서 개별 인간의 행동을 관장합니다. 그리고 미시적인 차원에서도 인간의 문명을 전수받고, 또 전수해주는 기능적 집단이 있지요. 바로 학교와 가정과 동료 집단입니다. 현재까지 우리가 교육이라고 하면 떠올리는 이미지는 주로 학교와 선생님이지만 사실 학교라고 하는 기능적 집단은 미시적 교육기관 중에서도 그 영향력이 가장 작습니다.

문명을 익히고 전달하는 이 과정을 저는 '교육'이라고 했습니다. 하지만 가르치는 사람 입장에서는 교육이지만 배우는 사람 입장에서는 말 그대로 '배움'이 됩니다. 교육이 위에서 아래로 향하는 전달의 느

---

[49] 여기서 말하는 사문은 원시 유학과 성리학만을 말하는 것이 아닌, 인류의 모든 지성적인 활동을 의미합니다.

낌이라면, 배움은 아래에서 위로 향하는 습득의 느낌입니다.⁵⁰ 교육과 배움은 그 활동의 주체가 다르기에 대조되는 개념이면서도 상호보완적인 활동입니다.

사실 저는 교육이라는 단어의 어원과 어감 자체를 썩 좋아하지는 않기에 이 두개의 구분이 불분명한 상황에서는 가급적 교육보다는 배움이라는 단어를 사용하고 싶어합니다. 다만 상황상 두 활동의 분리가 명확하고, 또 각 단어가 지향하는 주체가 다른 경우에 한해서 교육과 배움을 구분해서 사용하겠습니다.

교육은 타인의 배움의 물꼬를 터주는 행위임과 동시에 자신의 배움을 완성시키는 과정입니다. (아마 누군가를 가르쳐본 경험이 있는 독자분이라면 '교육이 자신의 배움을 완성시킨다.'는 말의 의미를 정확히 이해하실 겁니다.) 누군가의 교육 없이 홀로 배우는 배움은 방향성을 상실하기 십상입니다. 방향성을 상실하게 되면 배움의 목적성과

---

50 이 부분을 쓰면서 논어 '헌문'편에 나오는 '하학이상달'(下學而上達)이라는 구절이 떠올랐습니다. '하학이상달'은 지금까지 해석에 있어서 참 많은 오해와 논란을 불러일으킨 구절입니다. 일반적으로 '낮은 지식을 배워 높은 곳까지 도달한다.' 혹은 '물리적인 세계를 공부하여 결국 형이상학적 이데아의 세계에 도달한다.' 그리고 '옛 것을 배워 과거 주나라의 찬란한 문명으로 돌아간다.' 등의 의미로 해석됩니다. 저는 교육이 위에서 아래로 전달되는 '하학'의 느낌이라면 배움은 아래에서 위를 향해 묵묵히 올라가는 '상달'이라는 이미지로 느껴집니다. 원문에서도 공자의 의중은 상달과 하학에 우열을 두고자 하지는 않았을 것 같고 저 역시 교육과 배움에 우열을 두고 싶진 않습니다만, 아무래도 교육이 위에서 아래로 툭 던져지는 수동적인 느낌이라면 배움은 누군가가 밧줄에 올라 기를 쓰며 목표를 향해 올라가는 능동적인 에너지가 느껴집니다.

그 배움이 그쳐야 할 지점51을 설정할 수 없기에 필연적으로 귀납의 함정에 빠진 채 정보의 바다에서 익사할 수밖에 없습니다. 체계를 갖춘 이론을 만드는 것이 아니라 유기적인 연결성이 없는 단순히 잡지식만 그러모으게 될 뿐이지요. 구슬이 서 말이라도 꿰어야 보배이듯이 지식 역시도 일관성과 유기성이 갖춰진 완성된 체계를 이루게 되었을 때에야 비로소 그 진가가 드러나게 되는 법입니다. 그제서야 비로소 자신이 갖고 있는 지식과 정보를 활용하여 다른 상황에 '응용'을 할 수 있게 되니까요.

교육 없는 배움의 또 다른 단점은 먼저 길을 가본 이의 도움을 못 받기에 시행착오를 겪을 수 밖에 없다는 겁니다. 그래서 효율성이 떨어지지요. 효율성이 떨어지더라도 시행착오 후 돌아올 수만이라도 있다면 다행입니다만, 이런 잦은 실패로 인해 배움에 대한 흥미를 잃고 아예 배움의 길에서 멀어져 버리게 되는 경우도 많습니다. 그렇기에 교육이 배제된 배움은 홀로서기가 쉽지 않습니다.

하지만 그 반대도 마찬가지입니다. 배움이 배제된 교육 역시 더 이상 교육이라 할 수 없습니다. 교육자가 가르쳐야 할 첫번째 대상은 학

---

51 '대학'의 '삼강령'중 '지어지선'(止於至善)을 염두에 두고 썼습니다. 학문을 시작할 때 각자의 뜻하고자 하는 배움의 지극한 완성 지점을 머릿속에 미리 설정해 두어야 주위의 온갖 정보들에 흔들리지 않고 자신이 뜻하는 길을 묵묵히 걸어가서 끝내 성취할 수 있다는 의미입니다. 학문의 뚜렷한 목표와 완성 지점을 상정해 두지 않으면 학문을 하는 과정에 주위를 둘러싼 수없이 많은 정보들에 빠져 허우적 거리며 결국 어느 하나도 이루어 내지 못할 수 있음을 경계하는 말이지요. 인간은 물리적인 인지능력의 한계로 인해 지금껏 문명이 이룩해 놓은 모든 지식을 그 한 몸에 습득하는 것은 불가능합니다. 그렇기에 문명은 한 개인이 아닌 인류 전체의 집단지성의 힘으로 발전해 나가는 것이지요. '학문을 시작하는 순간에 이미 그 배움을 그쳐야 할 부분을 설정해 놓는다.' 젊은 시절 저의 가슴을 한동안 세차게 두드렸던 문구였습니다.

생이 아닌 본인 스스로입니다. 스스로 배움을 중단한 교육자는 더 이상 교육자라고 하기 어렵습니다. 다만, 교육을 업(業)으로 삼는 생활인이라고 불러야겠지요. 학문의 첫번째 목적은 '위기지학'(爲己之學)이지 '위인지학'(爲人之學)이 아닙니다.[52] 그리고 본인이 배움을 멈춘 채 타인에게 가르침만을 내리는 행위는 매우 오만한 행위입니다. 배움을 멈춘 사람은 더 이상 학문을 향한 열정을 갖고 있지 않으며, 학문에 열정이 없는 사람이 전달하는 교육은 단순한 정보의 중개에 다름아닙니다. 이런 식의 교육은 책이나 자연환경을 통해서 혼자서 습득하는 배움에도 미치지 못합니다.

또한 교육자는 교육하려는 분야에 대해서도 끊임없이 탐구하고 배워야 하지만, 자신이 알고 있는 지식을 타인에게 효과적으로 전달하는 방법 자체에 대해서도 끊임없이 배우고 연구해야 합니다. 교육의 주체는 대상자에게 교육을 함으로써 스스로 학습을 하게 됩니다. 그리고 자신이 아는 것을 타인이 이해하기 쉽게 잘 전달해주려고 노력하는 그 과정 자체가 배움을 수행하는 가장 효과적인 방법 중 하나입니다. 교육을 한다는 것 자체가 가장 훌륭한 배움인데, 어떻게 배움을 멈춘 사람이 교육을 할 수 있겠습니까?

이렇듯 배움은 교육의 도움을 받고, 교육은 다시 배움을 돌아보게

---

[52] 논어의 '헌문'편에 나오는 구절로 학문의 목적은 스스로의 수신(修身)과 발전을 위해 하는 것이라는 의미입니다. 위기지학에 대비되는 개념이 위인지학이며 위인지학은 남에게 보여주기 위한 학문, 즉 과시를 하기 위한 학문이나 권세를 얻기 위해 학문을 목적이 아닌 수단으로 삼는 경우를 일컫습니다. 한문 고전에서 기(己)자는 주로 스스로를 가리키며, 인(人)자는 타인을 가리키는 경우가 많습니다.

됩니다. 이 두개 요소의 우열을 가리기는 참으로 어려운 일입니다. 아니 이 두개 요소는 서로 붙어있기에 애초에 떼어내기 힘든 덩어리일 수도 있습니다. 하지만 굳이 분리를 해보자면 거시적인 인류의 문명 차원에서는 교육에 더 무게를 두고 싶고, 미시적인 개인의 성찰과 발전 차원에서는 배움에 더 무게를 두고 싶습니다. 그래서 집단의 영적 진화를 추구하는 대승불교에서는 경전을 통한 교육을 중요시하고 개개인의 해탈을 추구하는 소승불교에서는 개인의 수양과 배움을 더 중요시 했는지도 모릅니다. 이 불교의 큰 두 흐름 역시 어느 것이 더 뛰어난 지 우열을 가리기는 힘듭니다만 그런 경향성 자체는 분명히 존재하는 것 같습니다.

사실 저는 개인적으로 배움이라는 단어가 가진 어감과 개념을 참 좋아합니다. 배움은 사람을 사람답게 만듭니다. 배움은 누군가로부터 얻게 되는 배움도 있고, 자연현상으로부터 깨닫게 되는 배움도 있고 스스로 알아가는 배움도 있습니다. 그리고 배움은 나이에 관계없이 평생토록, 죽기직전까지 행해야 하는 것 입니다. 사람은 배움을 멈추는 순간 몸과 마음이 늙기 시작합니다. 새로운 정보와 지식을 받아들이는 것을 포기하는 순간 사람과 집단은 바로 보수(保守)화 되기 시작하며 자신이 알고 있는 한줌의 지식만으로 세상을 재단하고 바라보는 교조적인 수구(守舊)세력이 되어 버립니다. 요즘 말로 흔히 '꼰대'라고 하지요. 스스로의 배움 없이 남을 가르치려고만 하는 사람에게 아주 적절한 용어가 아닐 수 없습니다.

사실 제대로 알고 있는 사람은 누군가에게 어떤 지식이나 관념을 강하게 주장하거나 강요하지 않습니다. 제대로 알고 있는 사람은 배움이라는 개념 자체가 완성형이 아니라 끝이 없는 진행형이라는 것을 알고 있습니다. 그렇기에 현재 본인이 알고 있는 지식이 부족할 수 있다는 사실이나 완전하지 않을 수 있다는 가능성을 기꺼이 인정합니다. 그래서 그 지식을 남들에게 전파하는 과정도 고압적이거나 강요에 가깝지 않으며 상대방의 의견이 맞을 수도 있음을 늘 염두에 두고 있습니다. 그리고 나의 지식이나 배움이 완전하지 않을 수 있다고 가정하는 그 자세 자체가 또 다른 지식을 받아들일 수 있는 새로운 배움의 시발점이 되며 이를 통해 우리의 배움은 변증법적으로 더 발전해 나가게 됩니다.

원시유교를 집대성한 공자가 평생 동안 유지하고자 하던 호학(好學)의 경지가 바로 이것입니다. 공자에게 호학이라는 개념은 거의 인(仁 : 어질다는 의미)과 동일한 수준의 절대적 이데아입니다. 공자가 배움을 좋아하는 자세는 배울 것이 있는 그 누구에게라도 배움을 구하고자 하는 그의 일화에서 알 수 있습니다. 그 대상이 누구라 하더라도 나보다 더 나은 부분이 하나라도 있다면 기꺼이 배우고자 하는 그의 열린 마음이야말로 배움에 있어서 우리가 배워야 하는 가장 중요한 덕목입니다. 공자님조차도 배움을 위해 늘 마음을 열고, 귀를 열고 새로운 지식과 정보를 받아들일 준비를 하는데, 앎의 큰 경지에 오르지도 못한 우리네 대다수의 사람들이 작은 학업의 성취를 뽐내며 남의 말에 귀를 닫는 자세는 큰 배움을 향한 길목을 스스로 차단하는 꼴입니다.

이 장에서 반복적으로 말씀드리다시피 배움은 교육의 도움을 받고,

교육은 다시 배움을 돌아봅니다. 다만 미시적인 차원에서 보자면 교육의 역할은 배움이 길을 잃지 않고 스스로 방법을 찾아갈 수 있도록 도와주는 수준에서 멈추어야 합니다. 배움보다 교육이 오버페이스를 해서 배움의 멱살을 잡고 끌고 가는 형국은 바람직하지 않습니다. 그저 배움이 위태로워지지 않도록 위험한 부분에 안전망을 쳐 두고, 길을 잃고 혼란에 빠지지 않도록 낯선 지점에 이정표를 세워두고, 지쳐서 포기하지 않도록 적절한 동기부여를 제공해주는 정도의 역할에서 그쳐야 합니다.

앞서 설명한 대학의 '지어지선'(멈추어야 할 목표지점을 설정하고 거기에 머무름)이라는 개념에서처럼 그쳐야 할 지점을 아는 것은 모든 인생사에 통용되는 진리입니다만, 교육 분야에서는 더더욱 절실히 필요한 부분입니다. 교육은 과욕을 하지 말아야 합니다. 그리고 교육자는 배우고자 하는 사람의 개별적인 성향과 재능, 의욕을 주의 깊게 파악하고 거기에 따른 적절한 장기 목표를 배우는 사람과 함께 잘 설정해 두어야 합니다.

이후 배움의 진도와 과정에 맞게 단기 목표를 유기적으로 수정하며 배우는 사람과의 호흡을 맞춰가야 합니다. 그리고 그 발전 단계에 맞춰서 적절한 성취감을 느끼게 해주어 배움의 길에 흥미를 느낄 수 있도록 만들어 주어야 합니다. 이것이 교육이 지향해야 할 올바른 정도입니다. 배우는 사람 각자의 속도에 맞게, 재능에 맞게, 환경에 맞게, 목적에 맞게 올바른 배움의 방향을 잡아주는 것이야말로 교육의 본질입니다. 가르치고 싶어하는 것을 교육자의 진도에 맞게 강제하는 게 교육이 아니란 말이지요.

서양철학의 아버지라 불리는 소크라테스는 본인을 지식의 산파로 자처하였습니다. 본인이 누군가에게 지식을 가르치는 것이 아니라 배우고자 하는 사람이 스스로 답을 찾아갈 수 있도록 끊임없이 질문을 던지고 예상되는 논리의 모순을 지적하여 더 나은 방법과 해답을 찾아갈 수 있도록 유도해 나간 것이 그의 교육방법이었습니다. 물론 그의 이러한 진보적이고 과격한 진리 탐구방식으로 인해 결국 그리스 시민들에게 사형을 당했지만 말입니다. 같은 시대 다른 지역에 살았던 동양의 공자도 마찬가지의 교육관을 가지고 있었지요. 공자는 논어에서 다음과 같이 말합니다.

'배우고자 하는 이가 분발하지 않으면 나는 그를 일깨워주지 않는다. 또한 배우는 이가 정확한 이해와 표현을 하기 위해 애태우지 않는다면 촉발시켜 주지 않는다. 그리고 사물에 네 귀퉁이가 있을 경우 한 측면을 알려주었을 때 그 나머지 세개의 측면을 스스로 알고자 하지 않은 경우에는 더 반복치 않고 기다릴 뿐이다.'[53]

동서양의 대철인들이 공통적으로 말하고자 하는 바는 명료합니다. 교육은 강제하는 것이 아니라 배우는 자가 스스로 앎을 터득할 수 있도록 길을 틔워주는 것이라고 말입니다.

지금까지 교육의 목적과 방법 측면에 대해 잠시 살펴보았습니다. 그럼 이것을 현실의 교육 시스템에 한번 대입해보겠습니다. 현재 우리

---

53 "불분불계(不憤不啓), 불비불발(不悱不發), 거일우불이삼우반(舉一隅不以三隅反), 즉 불부야(則不復也)." 논어(論語), 술이(術而)편

가 알고 있는 대부분의 문명국가에서는 교육은 국가의 책임으로, 국가의 위임을 받은 학교라는 기관이 교육 서비스를 제공해주고 있습니다. 이러한 대중적인 공공교육 서비스는 분명 시대적인 이유와 역할이 있었고 현대산업사회에서 나름의 기능을 수행해왔습니다.

공공교육 서비스가 활성화된 100여년의 시간을 돌아보면, 대중을 대상으로 한 이 교육 서비스가 산업과 문명의 발전에 기여를 해온 것은 틀림없는 사실입니다. 불과 200년 전만해도 동서양 모든 지역 대다수의 국민들이 문맹이었습니다만 공공교육 시스템의 도입으로 현재 전 세계의 문맹률은 급격히 낮아졌으며 대부분의 사람들이 기본적인 행정 서류를 읽고 작성하는데 큰 어려움을 겪고 있지 않습니다.[54]

그리고 대중들이 산업사회에서 필요로 하는 수준의 노동을 익히게 하는 데는 공공교육 서비스만 한 대안이 없는 것도 사실입니다. 하지만 아쉽게도 딱 거기까지인 것 같습니다. 산업화 사회가 요구하는 숙련된 노동자를 배출하는 것까지로 공공교육은 그 한계를 드러냈습니다. 교육이 지향해야 할 지덕체(智德體)를 고루 함양시키는 전인(全人)교육은 현재의 공공교육 시스템으로는 달성하기 어렵다는 것이 이미 드러나고 있습니다.

---

[54] 복잡한 세법(稅法) 체계를 갖춘 일부 국가들의 세무신고 서류 작성이나 고소, 고발 등 특정 분야의 행정 문서는 아직도 일반인들의 접근을 불허하는 듯 합니다. 산스크리트어, 라틴어, 한자, 복잡한 행정용어 및 학계의 전문용어들이 가진 공통점은 이들 언어를 사용하는 기득권층이 일반인들이 그들이 구축해 놓은 복잡한 문법체계 안으로 들어오는 것을 허용하기 싫어한다는 점입니다.

현재의 대한민국의 공교육 시스템은 '지덕체'(智德體)라고 하는 교육의 목표 중 지식 하나에만 올인하고 있는 형국입니다. 그나마 그 지식의 추구도 실생활에 응용이 가능하고 산업화에 적용이 가능한 분야만 다루는 반쪽짜리 지식일 뿐입니다. 현재의 공교육 시스템 전반은 진지한 성찰과 진리의 탐구, 올바른 정서의 함양과 건강한 육체의 개발을 추구할 의지도, 능력도 없어 보입니다. 오직 산업화 사회가 요구하는 제한된 분야의 학업성취만을 지상목표로 삼고 있는 듯합니다.

그나마 과거 20세기 산업화 시기에는 이런 식의 교육을 통한 학업성취가 생존을 위한 기술을 익히는 데는 도움이 되었습니다. 하지만 이제 학업성취의 대상 과목조차도 기존의 산업화 사회가 디지털 사회로 급변하면서 함께 따라 바뀔 수 밖에 없습니다. 그런데 과연 그 변화를 면밀히 포착하여 교육과정의 커리큘럼을 기민하게 반영하고 있는지는 의문입니다. 2022년 현재의 어린 학생들은 20년 가까운 인생의 황금기를 교육 받는데 투자하였는데 막상 어른이 되어 그 교육 받은 바를 써보려고 하니 세상이 온통 바뀌어서 써먹을 게 없을지도 모릅니다

사실 이 부분은 공교육의 현장에서 맡은 바 임무를 다하고 있는 교육자 개개인의 문제가 아닙니다. 시대의 변화에 따라 이제는 바뀌어야 할 과거의 유산이 아직 현실 세계를 지배하고 있는 인간의 관성, 집단의 관성의 문제일 뿐입니다. 다시 한번, 그때는 맞지만 지금은 틀립니다. 하지만 이 거대한 공공교육 서비스라는 하나의 산업이 시대정신에 맞게 완전히 해체되고 새로운 대안을 찾기까지는 수없이 많

은 헤게모니 싸움과 사회적 갈등이 발생할 것입니다. 사실 저는 이런 과정 역시도 문명의 진보에 필연적인 과정이라 믿습니다.

이런 큰 역사의 수레바퀴가 굴러가는 와중에도 그 안의 개개인은 나름의 살이를 이어가며 굴러가는 바퀴의 흐름 안에서 나름 안정적이고 최적화된 삶의 방향을 찾아 나가야 합니다. 시대의 변화라는 큰 흐름의 물줄기를 거스르는 것은 쉽지 않습니다만 그렇다고 개인의 의지를 거세한 체 그저 몸을 맡기고 운명의 처분만을 기다리는 것 역시도 옳지 않은 삶의 자세입니다. 거대한 물줄기의 흐름을 자세히 들여다보면 그 안에 작은 조류(潮流)의 흐름이 무수히 많이 있습니다. 우리는 거시적인 환경의 변화 안에서도 미시적인 새로운 변화를 창조해 낼 수 있습니다. 그것이 바로 자라나는 어린 아이들의 부모로서 우리 어른들이 해야 할 '교육자'로서의 역할입니다.

배우고자 하는 사람의 재능과 성향에 맞게끔, 그리고 배우고자 하는 목적과 현재의 상황을 고려하여 함께 목표를 설정하고 적절한 응원과 동기부여를 제공하는 것. 배움의 대상이 산업화 사회에서 쓰일 수 있는 기술의 습득만이 아니라 지덕체(智德體)를 고루 함양할 수 있는 전인교육(全人敎育)일 것. 미를 추구할 줄 알고 사람, 동식물, 환경과 유기적으로 소통할 줄 아는 공감 능력을 키워줄 수 있을 것. 언제나 스스로가 자신의 몸과 마음의 주인이 될 수 있도록 독려할 것. 이것이 바로 제가 생각하는 교육의 올바른 방향입니다.

하지만 제가 생각하는 이러한 교육의 방향성은 불특정 다수의 대중을 대상으로 한 공공교육 시스템의 틀 안에서는 애초에 시도하기가 불가능합니다. 대중 교육은 표준화된 일꾼을 적정 수준까지 육성하는 데 그 목적이 있지, 개개인의 특성을 살려서 그들을 상달(上達)할 수 있게끔 해주는 것에는 관심이 없으니까요. 그럼 그것을 누가 해주어야 하나요? 학생에 맞는 이런 맞춤형 교육 서비스를 끝없는 애정을 가지고, 지치지 않고, 끝까지 함께 가줄 사람이 부모 외에 또 있을까요?

이 땅의 모든 부모님들께 간곡히 부탁드리겠습니다. 자식의 교육을 그저 학교에 위탁하지 말아 주세요. 학교에서 배울 수 있는 배움에는 한계가 있습니다. 세상에는 학교에서 배우는 국어, 영어, 수학보다 훨씬 더 중요한 삶의 덕목들이 있습니다. 이런 것을 제대로 가르쳐 줄 수 있는 사람은 오로지 그 아이를 키우는 부모님 밖에 없습니다. 자식 교육의 가장 중요한 주체는 부모이지 학교가 아닙니다. 내 자식을 가장 잘 알고, 가장 잘 이해하고, 가장 많이 사랑해주어야 하는 사람은 학교의 선생님도, 교육청의 장학사나 교육감도, 이 나라의 정치가도 아닌 바로 우리 부모들입니다. 부모보다 자식을 더 사랑해줄 수 있는 사람이 대체 어디 있겠습니까.

산업화 사회가 가진 특유의 생산성 지향의 문화로 인해 우리 부모들은 우리 자식들에 대한 교육의 기회를 박탈당하였습니다. 우리는 그것을 다시 찾아와야 합니다. 우리는 자식 교육의 방관자가 아닌 주관자가 되어야 합니다. 그것도 올바른 방법으로 말이지요. 그러려면 우선 우리 부모들부터 깨어 있어야 하고 배워야 합니다. 그래서 우리 자식들에게 가장 좋은, 가장 훌륭한 교육자가 되기 위해 끊임없이 노력해야 합니다. 왜 그래야 하냐구요? 무슨 이유가 더 필요하겠습니까. 우리의 자식이지 않습니까. 우리의 자식인 그들이 좀 더 나은 환경에서 좀 더 나은 삶을 살아가기를 원하기 때문 아니겠습니까.

교육이라고 하니 겁먹으실 수도 있을 것 같은데, 무언가 엄청난 학습 수준이 필요한 것도, 전문적인 기술이 필요한 것도 아닙니다. 모든 부모님들이 다 하실 수 있는 것입니다. 다만, 그렇게 쉽지도, 만만하지도 않을 것이며 아마도 많은 인내심과 노력, 그리고 부모님들의 자기 절제가 필요할 것입니다. 이에 이 땅의 부모님들께 아래와 같은 10개의 제언을 감히 드리고자 합니다.

* 육아와 교육에 대해 부모님께 드리는 10대 제언

첫째. 아이들과 되도록 많은 시간을 보내시고 많은 애정과 관심을 전해주세요.

둘째. 아이들의 필요와 욕구를 구분해서 바라봐 주세요.

셋째. 아이들에게 휘둘리지 마세요.

넷째. 매사 아이들을 동등한 인격체로 존중해주세요.

다섯째. 잘못한 일이 있을 때는 사과하세요.

여섯째. 스스로의 삶과 주위 환경에 책임감을 가지는 자기주도적인 아이로 길러주세요.

일곱째. 아이의 호기심을 최선을 다해 충족시켜 주시고 자극해주세요.

여덟째. 배우자를 존중하고 사랑하세요.

아홉째. 가정 내 Digital Distancing을 준수해주세요.

열째. 부모님께서 늘 배움을 실천해주십시오.[55]

---

[55] 기본원칙. 위의 10가지 원칙들은 아이가 어릴수록 더욱 중요해집니다. 만약 부모님들의 상황상 아이를 성인이 될 때까지 교육하는 이십 년이라는 긴 기간 동안 쓸 수 있는 에너지의 총량이 100밖에 없다면, 이중 절반 이상을 만 5세가 되기 전까지 집중적으로 사용해주시고 나머지 절반을 5살부터 20살까지의 기간 동안 조금씩 뿌려 주시는 게 좋습니다. 아이의 평생 건강과 두뇌발달, 성격 형성의 많은 부분이 만 5세 이전에 어느 정도 틀이 잡히게 됩니다. '골든 타임'을 놓치지 않는 전략적인 접근이 필요합니다.

첫째. 아이들과 되도록 많은 시간을 보내시고 많은 애정과 관심을 전해주세요.

아이들의 삶에서 부모의 존재는 말 그대로 '절대적'입니다. 아이들이 앞으로의 삶을 살아가게 될 기본적인 방향성이 어렸을 적 부모와의 관계에서 대부분 결정됩니다. 생물학적인 이유로, 그리고 정서적인 이유로 '관종'으로 운명 지어진 우리 아이들은 말 그대로 부모의 관심을 먹고 자라납니다. 어렸을 때 부모로부터 받게 되는 애정과 관심은 다른 어떤 것으로도 대체 불가능합니다. 자라나면서 받게 되는 부모의 따스한 애정과 충분한 관심을 통해 아이들의 감정 자산은 건강하고 자신감 있게 발달하게 되고 인지능력도 균형 있게 활성화됩니다.

이 시기에 충분한 애정을 받지 못하게 된다면 남은 삶 동안 여러가지 정서적 결핍이나 열등감에 시달리게 될 가능성이 큽니다. 그리고 이 책의 주제와 같은 건강하지 않은 '관종'이 되겠지요. 부모 역할이 서투를 수도 있고 미숙할 수도 있습니다. 부모 역시도 단점과 결점이 있는 평범한 사람이니 당연히 그럴 수 있습니다. 그래서 잘해주려는 의도와는 다르게 아이들에게 생각만큼 좋은 부모가 되지 않을 수도 있습니다. 하지만 너무 걱정하지 마세요. 부모의 미숙함에도 불구하고 그저 곁에서 따스한 애정의 눈길로 많은 시간을 함께 하는 것 만으로도 아이들은 충분한 안도와 기쁨을 느끼게 될 것입니다. 부모는 아이들에게 온 세상이나 마찬가지이니까요.

현대사회는 육아(育兒)의 사회적 부가가치에 대해 너무나도 인색합니다. 자본주의를 신봉하는 대부분의 국가들은 매년 발표하는 경제 성장률 지표에 정권의 명운을 겁니다. 그리고 현대사회의 팍팍한 경제상황은 남편과 아내 모두의 경제활동을 강요하고 있습니다. 이 두 가지 상황이 맞물리자 대부분의 부부들은 맞벌이를 할 수밖에 없도록 내몰리고 있으며 이로 인해 현대사회의 어린이들은 부모의 돌봄을 충분히 받지 못하고 있습니다.

육아(育兒)와 교육(敎育)이라고 하는, 중요도와 사회적 부가가치가 탁월하게 높은 숭고한 행위가 점점 부부가 해야 할 일이 아닌 사회의 복지시스템과 교육시스템이 맡아야 할 일, 혹은 조부모나 민간업체가 맡아야 할 일로 인식이 되고 있습니다. 장기적으로 볼 경우, 개인적 차원에서도 사회적 차원에서도 이러한 맞벌이 추구 현상은 가정과 국가 모두의 건강한 성장에 도움이 되지 않습니다. 부모님 두 분이 모두 직업을 통해서 이루고 싶은 뚜렷한 인생의 목표가 있거나, 혹은 절박한 경제적 상황이 아닌 이상 부모님 두분 중 한 분은 아이의 육아에 전념할 수 있었으면 좋겠습니다.

'육아와 교육'이라고 하는 그 무엇보다 소중하고 부가가치가 높은 생산적 활동을 타인에게 위탁하지 말았으면 합니다. 그 위탁하는 대상이 그 어떤 최고의 육아 전문가라고 해도 말입니다. 아이들은 최고의 전문가 아저씨 아주머니보다는 미숙하더라도 나를 낳아준 엄마, 아빠가 자기를 키워주는 것을 원할 것입니다. 그리고 국가는 국가의 중장기 경쟁력을 높이기 위한 경제정책[56]의 일환으로 육아를 전담하

---

56 오타(誤打)가 아닙니다! 복지정책이 아닌 경제정책입니다!

는 배우자가 있는 가정에 파격적인 육아 활동비를 지급해주었으면 좋겠습니다.

둘째. 아이들의 필요와 욕구를 구분해서 바라봐 주세요.

필요는 상황이 허락하는 한 가급적 다 충족시켜 주시고, 욕구는 아이의 기질을 고려해서, 그리고 각 가정이 설정한 기준과 원칙에 맞추어서 들어주시거나 혹은 거절해주세요. 사람의 욕구는 무한합니다. 그리고 욕구가 더 많이 해결되면 해결될수록 행복감의 증가는 점점 체감(遞減)하게 됩니다. 극단적인 가정을 해볼 경우, 모든 욕구를 거의 즉각적으로 해소할 수 있는 사람에게는 그 어떤 굉장한 수준의 욕구를 충족시켜 주어도 행복을 느끼기보다 그저 무덤덤해 할 가능성이 큽니다. 반대로 욕구가 해소되지 않게 될 경우 느끼게 되는 불행의 강도는 체증(遞增)하게 될 것입니다.

과거 봉건시대의 왕은 오늘날의 일반인들과는 비교가 안될 수준의 강력한 권력의 크기를 가지고 있었습니다. 그렇기에 그들은 일반인들에 비해 훨씬 더 많은, 훨씬 더 다양한 욕구를 손쉽게 해소할 수 있었습니다.[57] 하지만 그럼에도 불구하고 정사와 야사 곳곳에서 드러나는 그 시절 왕들의 불행함에 대한 호소는 역사책 페이지 곳곳에 차고 넘칩니다. 즉 장기적인 관점에서 보았을 때 즉각적인 욕구의 해소는 행복과 직결되지는 않는다는 말입니다.

아이들은 무언가 원하는 것이 있을 때 떼를 씁니다. 원하는 것이 꼭 필요한 것일 수도 있고 필요하지 않을 것일 수도 있습니다. 혹은 개인에게나 가정에게나 사회적으로나 권장 받는 훌륭한 것 일수도 있고, 혹은 지탄받는 것 일수도 있습니다. 아이들은 육체적으로, 정신적으로 성장하고 있는 존재들입니다. 아직 장기적인 관점에서 본인과 가정, 사회에게 도움이 되는 행동이 무엇인지 판단하기 어려운 단계란 말이지요. 그렇기에 그러한 것들에 대한 기준과 원칙을 부모가 잡아

---

[57] 봉건시대의 왕과 21세기 현대사회의 일반시민의 생활 수준을 비교한 글을 예전에 읽은 적이 있습니다. 봉건시대의 왕이 타던 8두마차의 성능과 현대인이 타는 100마력이 훌쩍 넘는 세단, 여름에 귀한 얼음을 공수하기 위해 무지하게 애를 쓰면서도 원하는 만큼 충분히 섭취하지 못했던 과거의 왕들과 냉장고에 가득 찬 얼음을 언제든 꺼내 먹을 수 있는 현대인. 그리고 장거리 여행을 위해 울퉁불퉁한 비포장도로를 마차를 타고 멀미에 시달리면서 며칠 동안 고생을 해야 하는 과거의 왕들과 제트비행기를 타고 대륙을 한나절에 이동하는 현대인의 편리한 삶 등을 열거하던 신문 칼럼이었습니다. 그 글의 결론은 현재 우리가 누리는 생활의 수준이 과거의 왕들보다 높다라는 것으로 마무리 되었습니다만 저는 생각이 다릅니다. 욕구의 크기는 상상력에 비례합니다. 그 시절의 왕들은 기술의 제약으로 인해 물리적으로 구현 가능하지 못하는 것에 대한 불행감을 크게 느끼지는 않았을 것 같습니다. 그러한 것들을 상상하는 것 자체가 쉽지 않았을 테니까 그로 인한 좌절감도 크지 않았을 테지요. 더욱이 옆 나라의 왕도, 그 옆 나라의 왕도 그런 것을 갖고 있지 못하기 때문에 상대적 박탈감을 느낄 일도 없구요. 현대의 우리가 하늘을 날지 못해 조금 아쉬운 것이 있을지는 모르겠지만 하늘을 날지 못한다고 해서 크게 불행하지는 않다는 것과 동일합니다. 크게 현실적으로 와 닿지도 않을 뿐더러 또 내 친구나 이웃사람이 전부 다 하늘을 날아다니는 것도 아니니까요. 인간이 느끼는 본원 욕구의 가장 큰 덩어리는 상대적인 측면이 강하며 이는 많은 경우 타인에 대한 우열(優劣)의식과 지배욕으로 나타납니다. 이런 관점에서 볼 경우 과거 봉건시대의 왕은 현대 일반인에 비해 비교 불가능할 정도로 대부분의 욕구를 쉽게 해소할 수 있다고 생각됩니다.

주어야 합니다. 아이들의 욕구를 무조건 들어주는 것도, 무조건 제한하는 것도 모두 좋은 방법이 아닙니다. 양쪽 모두 정서적인 과잉이나 결핍을 낳게 됩니다. 그리고 일관성 없이 그때 그때 부모의 감정에 따라 어떤 때는 들어주고 어떤 때는 들어주지 않는 것도 교육적으로 좋지 않습니다. 욕구를 수용해주는 기준과 원칙은 각 가정의 교육관과 환경에 따라 적절히 마련해 주셔야 합니다.

아울러 이 기준과 원칙에 대해서는 배우자 간 사전 합의를 통해 동일한 목소리를 내어 주셔야 합니다. 배우자 간의 육아관과 교육관이 일치한다면 더 바랄 것이 없겠지요. 하지만 실제로 이에 대한 부부의 생각이 다를 수도 있습니다. 이 경우 배우자 간의 사전 협의와 타협을 통해서 적정한 수준에서 서로 합의점을 찾으셔야 합니다. 그리고 이렇게 사전에 합의된 기준에 대해서는 엄마 아빠가 모두 일관된 목소리를 내어 주셔야 합니다. 동일한 상황에서 엄마는 들어주고 아빠는 들어주지 않는다면 올바른 훈육이 되지 않습니다.

제가 집에서 실행하는 육아의 기준은 네거티브 규제 방식입니다. 따라서 아래와 같은 몇 개의 행동은 허용이 안 되지만 그것들을 제외한 나머지들은 어지간하면 다 들어주려고 합니다. 물론 그 안의 세부적인 부분은 상황에 맞게 조정 하셔야 합니다. 각 가정마다 환경과 성향, 상황이 다를 수 있으니 "아, 저 집은 저렇게 아이를 키우는구나."하는 정도로만 참고 해주시면 되겠습니다.

1. 법적으로 문제가 되지 않을 것

   -타인의 몸과 재산에 상처를 주지 않을 것 (타인에는 부모가 포함됩니다!)

2. 도덕적으로 문제 되지 않을 것

   -타인의 마음에 상처를 주지 않을 것 (타인에는 부모가 포함됩니다!)

3. 사회적으로 문제 되지 않을 것

   -지구환경과 공동체의 건전한 문화를 해치지 않을 것

4. 가정 내에서 문제 되지 않을 것

   -아이의 욕구를 해소하기 위하여 들어가는 엄마, 아빠의 비용(에너지, 시간, 물질적인 부분 등)이 욕구를 해소했을 경우 아이가 얻게 되는 효용을 상회할 경우[58] 하지 않을 것

5. 아이 본인에게 문제가 되지 않을 것

   -육체적으로 몹시 위험한 행동

   -본인의 장기적인 건강, 위생상태에 해가 되는 행동

   -특정한 행위에 의존하거나 무절제하게 탐닉하게 될 경향이 있는 행동 (특히 디지털 기기)

셋째. 아이들에게 휘둘리지 마세요. 이 부분은 두번째 제언의 연장 선입니다. 아이들은 우리와 동등한 인격체이지만, 성인이 되기 전까지 부모님은 아이들의 보호자(保護者)입니다. 아이들의 선을 넘는 욕구나 무례한 행동까지 포용해주지는 마십시오. 제대로 된 행복의 추구를 위해서는 욕구의 자제와 절제를 배워야 합니다. 그리고 그것은 부모가 가르쳐야 합니다.

---

[58] 단기 개념이 아닌 장기 개념으로 파악하는 것이 필요합니다. 또한 이 부분은 사실 정확한 계량화가 어렵기에 직관적으로 판단해야 하는 영역입니다. 따라서 주관적일 수 밖에 없으며 상황에 따라 각 가정에서 적절히 대처해야 할 듯합니다. 다만 제가 전달하고자 하는 바는 명확합니다. '아이가 얻는 효용보다 부모가 감당해야 하는 비용이 더 크다면 해주지 마라.' 입니다.

특히 아이들을 위해서 부모님의 삶을 희생하지 마세요. 아이의 미래에 부모님의 삶을 저당 잡히는 것은 매우 어리석은 일입니다. 아이를 위해서 사는 삶은 부모의 삶의 질을 떨어뜨릴 뿐만 아니라 아이 본인에게도 해롭습니다. 아이의 더 나은 미래와 부모의 멋진 인생을 위해서라도 아이들과 어른의 삶을 어느 정도 분리하는 지혜가 필요합니다. 부모의 삶이 건강해야 아이의 삶도 건강합니다.

요즘 대부분의 아이들이 형제자매가 한 명이거나 혹은 외동입니다. 아이가 귀한 시대이니 만큼 모든 가정에서 아이들을 왕처럼 떠받들고 있습니다. 그리고 아이의 사소한 욕구불만이나 짜증에도 할아버지, 할머니를 위시한 온 가족이 마치 황제를 떠받들 듯이 시중을 들고 있습니다. 그러지 마세요. 모든 것을 다 들어주려고 하지 마십시오. 그러기 위해 필요와 욕구를 구분하시고, 두번째 제언에서 제시해드린 5가지 큰 원칙을 참고하여 각 가정의 기준과 원칙에 아이의 욕구를 대입해보십시오. 그리고 그 원칙에 어긋나는 행동들에 대해서는 단호하게 거절하십시오. 부모님과 아이와 우리 사회 모두를 위해서 말입니다.

넷째. 매사 아이들을 동등한 인격체로 존중해주세요. 아이들은 부모님의 소유물도 아니고 부모님의 못다 한 꿈을 대리만족시켜 주기 위한 객체(客體)도 아니고, 부모님의 삶을 더 편하게, 더 빛나게 만들어주기 위한 수단도 아닙니다. 한국전쟁 후 베이비부머 세대를 길러낸 부모님들과 베이비부머 부모님[59]들은 가부장적인 사고를 가졌음에도 불구하고 자식의 교육에 본인들의 삶을 갈아 넣었습니다. 그분들의 행동은 아이에게 휘둘리는 것은 아니었지만 본인 삶의 성공과 자식의 학업성취를 등치(等値)시켰습니다. 이는 스스로의 삶에 주체가 되는 것이 아닌 자식의 세속적 성공에 본인의 꿈을 투영(透映)시키는 것으로 부모와 자식 양자 모두에게 건강하지 못한 방식이었습니다.

21세기 초반부를 살아가는 현대의 부모님들은 베이비부머 부모님들과는 많이 다르지요. 이들은 더 이상 가부장적이지도 않고, 자식들에게 자신의 꿈을 투영시키지도 않습니다. 하지만 거의 병적인 수준으로 자식을 귀하게 여깁니다. 베이비부머 부모님들과 현대의 부모님들의 육아 방식은 그 어느 쪽도 아이들을 동등한 인격체로 보는 것이 아닙니다. 아이를 동등한 인격체로 바라본다는 것은 아이를 부모의 관점에서 본인 삶의 객체로 대하는 것이 아닌 아이의 관점에서 아이를 스스로의 삶의 주체로 바라봐 준다는 의미입니다.

이런 관점을 가진 부모는 감히 자신의 꿈을 아이에게 투영시키지 않습니다. 자신만의 우주를 가진 아이에게 타인의 관점과 가치를 강요하는 것은 아무리 부모라 해도 해서는 안될 인간의 존엄을 해치는 행위임을 알기 때문이지요. 그 누구라 해도 타인에게 자신의 가치관과

---

[59] 베이비부머(한국을 기준으로 한국전쟁 직후인 1955~1963년 사이에 태어난 세대)를 길러낸 부모님들은 현재 아이를 육아 중인 부모님들의(30~40대 계층) 할아버지뻘 세대가 될 것이며, 베이비 부머는 현재 부모님들의 아버지뻘 세대가 될 것입니다. 세부적으로 들어가면 차이가 있겠지만 편의상 베이비부머의 부모님들과 베이비부머를 통칭하여 베이비부머 부모님들이라고 칭하겠으며, 2022년 지금 현재 육아를 하고 계시는 부모님들(현재 30~40대 계층)을 현대의 부모님들이라고 칭하겠습니다.

삶의 목적을 투영시켜서는 안됩니다. 이는 인간이 노예가 아닌 주인으로 존재하기 위해서 지켜져야 하는 천부적(天賦的)인 권리입니다. 이 권리는 아이의 보호자인 부모조차도 침해해서는 안됩니다. 부모의 역할은 아이를 안전하게 보호하고 건강하게 길러주고 올바른 교육의 길을 제시하는 것이지 부모의 의지대로 아이들의 삶을 결정하거나 조종하는 것이 아닙니다.

아이들을 동등한 인격체로 존중해준다는 말을 뒤집어 생각해보면, 아이들의 삶을 존중해주는 것과 동일한 무게로 아이들에게도 부모의 삶과 인격을 존중할 줄 알게 가르쳐야 한다는 것입니다. 과거 베이비부머 부모님들이 해왔던 것과는 반대 방향의 에너지입니다. 이 부분은 세 번째 제언, 즉 '아이들에게 휘둘리지 마세요'와 연결된 부분입니다.

사실 요즘의 부모님들은 아이들에게 병적으로 집착합니다. 아이들이 공부만 잘해준다면 그야말로 간이고 쓸개고 다 빼줄 기세입니다. 아이들이 공부만 해준다면 내 인생의 어떤 부분도 희생해준다는 각오를 가지고 본인 스스로의 존엄과 권위를 스스로 내려놓습니다. 그러지 말아 주세요. 아이들의 공부는 아이들의 몫이며 본인들의 인생입니다. 스스로 겪어 나가며 스스로 그에 대한 책임을 져야 하는 부분입니다. 본인들이 스스로 해야 할 몫을 해내는 것을 빌미로 부모가 무언가를 희생하는 것을 당연하게 받아들이도록 해서는 안됩니다. 그저 아이가 공부를 열심히 하는 것에 고마워서 아이의 짜증과 버릇없는 행동에 속수무책으로 당해주는 것은 부모의 삶과 인격이 아이에게 예속되는 것이며 보호자로서의, 교육자로서의 부모의 권위와 의무를 포기하는 것입니다. 이는 부모 본인은 물론 장기적인 관점에서는 아이들의 행복과 성장에도 엄청난 해악을 끼치게 됩니다.

베이비부머 부모님이나 지금의 부모님들은 모두 '학업성취'라고 하는 동일한 목표 대상을 가지고 서로 반대되는 에너지의 방향으로 아이들을 취급하고 있습니다. 저는 그 어느 방향도 옳지 않다고 봅니다. 아이들은 부모에게 예속된 존재도 아니지만 본인의 학업성취를 빌미로 부모를 지배할 수 있는 존재도 아닙니다. 부모자식 관계에 있어서도 사람 위에 사람이 있을 수 없으며, 사람 밑에 사람이 있을 수 없습니다. 부모는 아이의 보호자이지 아이의 소유자가 아닙니다. 아이의 삶과 판단의 영역을 침해하지 말아 주세요. 반대로 부모는 아이가 성년이 될 때까지 안전하고 건강하고 올바르게 클 수 있도록 도와주는 보호자이자 교육자입니다. 아이들의 무례한 언행이나 철없는 행동에 대해서는 그때 그때 따끔한 충고를 해 주셔야 합니다. 아이의 올바른 인격 형성을 위해서라도 숭고한 부모의 권위와 의무를 스스로 방기(放棄)하지 마십시오. 매사 아이들을 '동등한' 인격체로 존중해주세요. 양쪽 방향 그 어디로도 말이지요.

다섯째. 잘못한 일이 있을 때는 사과하세요. 부모도 아이들에게 실수할 수 있고 잘못할 수 있습니다. 그럴 때 권위에 손상을 당할까 봐 어물쩍 넘어가면서 도리어 아이들에게 화를 내며 잘못을 전가하는 부모님이 있습니다. 대체로 베이비부머 부모님들이 그런 경향이 강했습니다. 혹은 반대로 너무 과하게 죄책감에 시달리며 몇 날 며칠을 괴로워하는 부모님도 있습니다. 대체로 현대의 부모님들이 그런 경향이 있습니다. 둘 다 옳지 않습니다. 그저 아이들에게 진심을 담아 사과를 해주시고 그것으로 마무리를 하십시오.

　부모는 아이들에게 절대적으로 중요한 존재이지 '절대자'가 아닙니다. 잘못한 일에 대해서 사과를 한다는 것은 인간이 할 수 있는 가장 높은 수준의 용기 있는 행동입니다. 저는 살아가면서 사과만큼 큰 용기가 필요한 다른 행동들을 많이 알지 못합니다. 진실을 마주할 용기, 거짓을 바로잡을 용기만큼이나, 혹은 그 이상으로 용감하고 씩씩한 행동이 바로 자신의 잘못을 사과하는 행동입니다. 타인에게 사과를 한다는 것은 그의 인격을 존중한다는 의미입니다. 과거 봉건시대를 돌아보면 주인은 노예에게 사과하지 않았습니다. 노예를 자신과 동등한 인격체로 생각하지 않기 때문이지요. 내가 타인의 몸과 마음에 끼친 상처에 대해서 신경 쓰지 않고 무심한 것은 그 대상을 나와 동등한 인격체로 생각하지 않기 때문입니다.

　최근 일상어가 될 만큼 널리 알려진 '사이코패스', 혹은 '소시오패스'들의 일반적인 심리상태가 바로 이러합니다. 그들은 타인에 대한 존중감과, 같은 인격체로서의 일체감이 현저히 떨어지기에 타인의 정서적, 육체적 고통에 공감할 수 없고 그렇기에 일반인들이 상상하기 힘든 반사회적인 행동을 할 수 있는 것입니다. 대체로 봉건시대의 영주나 귀족들은 자신의 농노나 노예들에게 감정의 이입 자체가 없었습니다. 그것은 그들이 농노를 자신과 동일한 인격체로 생각하지 않기 때문에 가능한 일이었습니다.

이 공감(共感)이라고 하는 정서가 발달될수록 인간의 이타심은 인간이라는 종(種)에 한정되지 않고 자신을 둘러싼 유기체 전체로 끝없이 확장됩니다. 사실 좀 듣기 불편한 말이겠지만 인간이 우리의 편익을 위해 키우는 닭, 돼지, 소와 같은 산업 동물의 입장에서 바라보자면 이 가축들에게 인간이라는 집단은 사이코패스라는 기준과 정확히 일치합니다. 인간은 이들 가축을 인격체로 보지 않고 인간 삶의 객체로 바라봅니다. 그렇기에 감정의 이입을 하지 않고 우리의 편익을 위해 가축들의 삶 자체를 잔인하게 착취하는 것이지요. 사실 산업 효율성을 극단까지 추구하는 현대의 축산 시스템의 단면을 통해 인류 문명과 사회현상을 진단해 보고 싶은 욕심은 매우 크지만 이 책의 주제와 약간 동떨어지기에 여기서 그쳐야 할 것 같습니다. 대학이 강조하는 지어지선(止於至善)의 가치는 매순간, 모든 대상에 적용됩니다.^^

내가 키우는 우리 아이의 인격을 존중한다면, 그들을 노예가 아닌 주인으로 길러내고 싶다면 아이들에게 실수한 일이 있을 때 용기 있게 아이들에게 다가가 눈을 맞추고 사과하십시오. 아마 아이들은 부모님들이 놀랄만한 엄청난 관용력으로 부모님을 용서해줄 것입니다. 그리고 아이들은 본인이 부모님으로부터 진심으로 존중받고 있다고 느끼며 더 단단하고 건강한 어른으로 성장해 나갈 것입니다. 그리하여 엉뚱한 행동으로 남들의 관심을 갈구하며 타인의 눈살을 찌푸리

게 하는 '관종'의 길에 들어서는 일이 없어질 것입니다.[60]

여섯째. 스스로의 삶과 주위 환경에 책임감을 가지는 자기주도적인 아이로 길러주세요. 교육의 목적은 타인에 의존하지 않고 홀로 설 수 있도록 만들어주는 것입니다. 능동적으로, 주체적으로 스스로의 삶을 계획하고 개척해 나가야 합니다. 그리고 그러한 선택과 실천을 하는 과정에서 본인의 행동이 주위 사람들과 집단, 더 나아가 생태계에 끼치는 영향을 자각하고 이에 대해 책임감을 가져야 합니다. 스스로의 삶을 결정할 의지와 능력이 없는 사람은 비록 20살이 넘었다 해도 성인(成人)이라고 볼 수 없습니다. 한자 풀이 그대로 완전히 이루어진 사람이라고 볼 수 없다는 것입니다.

그런데 불행히도 현대의 교육과 육아 시스템은 아이들을 성인(成人)으로 만들어주지 못하고 있습니다. 요즘의 아이들은 자신의 일을 스스로 결정하고 판단할 의지도, 능력도 부족해 보입니다. 이는 아이들의 문제라기 보다는 어른들의 문제로 비롯된 바가 큽니다. 가정 내에서도, 학교에서도 아이들에게는 스스로의 삶을 고민하고 결정하고 판단할 영역이 거의 남아있지 않습니다. 이미 주어진 답안지에 표준화된 모범 답안까지 그려져 있습니다. 아이들이 할 일이라고는 그저 그 모범 답안의 궤적을 최대한 비슷하게 따라 그리는 것 뿐입니다.

---

[60] 약간 미묘한 부분이 있어 부연 설명을 합니다. 진심을 담은 사과는 물론 매우 훌륭한 교육적 효과를 낳습니다. 하지만 진심 없이 습관적으로 남발하는 사과나 혹은 아이들에게 쩔쩔매며 끌려다니는 듯한 사과는 역효과를 낳습니다. 이 부분은 아이와 부모의 관계에 있어서 예민한 역학 관계이므로 각 가정의 상황 및 각 구성원 간의 성향을 잘 파악하셔서 처신해 주셨으면 합니다.

아이들은 현재 자신의 성향과 재능을 돌아볼 시간도, 본인의 미래를 스케치북에 그려볼 기회도 없습니다. 이렇게 피동적인 학습에 길들여진 아이들에게 자신의 삶과 진리에 대한 진지한 성찰을 기대하기는 어렵습니다. 주위 환경에 대한 책임감은 커녕 자기 한 몸에 대한 능동적인 건사조차 못하는 아이가 어떻게 주인으로서의 제대로 된 삶을 살수 있겠습니까.

어려서부터 사소한 일부터 스스로 해보게 키워 주십시오. 이유식도 떠먹여 주지 마시고 본인이 서투른 숟가락질로 혼자서 먹도록 내버려 두십시오. 물론 부모님 입장에서는 쉽지 않을 것입니다. 아이가 혼자 아침에 일어나는 것부터, 옷을 입는 것도, 숙제를 하는 것도, 해야 할 일을 정리하는 것도, 방 청소를 하는 것도 말이지요. 아이가 하는 것을 지켜보노라면 답답하고 속이 터져서 차라리 내가 해주는 게 낫다라는 생각을 하실 겁니다. 사실 그렇습니다. 부모가 해주는 게 훨씬 더 효율적입니다. 단지 단기적으로만요!!

위에 나열한 모든 것 들은 언젠가는 아이가 직접 해야 할 본인의 몫입니다. 만약 부모가 아이보다 훨씬 오래 살면서 아이가 늙어 죽을 때까지 아이의 모든 것을 돌봐줄 자신이 있으시다면... 뭐 그렇게 하셔도 좋습니다. 하지만 대개의 경우 부모가 아이들보다 먼저 죽는 것이 자연의 섭리이며, 아이들은 부모가 죽은 후에도 부모 없이 아주 오랜 기간을 살아가야 합니다. 늦던 빠르던 언젠가는 부모의 손을 벗어나 스스로 모든 것을 헤쳐 나가야만 합니다. 홀로 서는 시점이 늦어질수록 아이는 점점 더 세상과 정면으로 마주하기가 힘들어질 겁니다.

장기적인 관점에서 볼 때 가장 효과적인 학습법은 시행착오입니다. 물론 시작부터 아예 방향이 틀어져 버린 경우 시행착오의 효율성이 떨어질 수 있겠습니다만, 이 부분은 부모가 큰 틀에서 영점 조절을 해 주면 됩니다. 아이들은 실수를 하면서 배웁니다. 뭔가 서툴고 미숙한 행동을 반복하면서 조금씩 천천히 능숙해지는 법입니다. 아이의 미숙한 젓가락질이 답답하시겠지만 인내심을 갖고 홀로 콩을 집어서 입가에 가져갈 수 있을 때까지 무한히 참고 기다리고 독려해주세요. 틀림없이 언젠가는 해낼 것입니다. 아이들에게는 누구나 내면에 홀로 설 수 있는 힘이 숨겨져 있습니다. 그 힘을 스스로 끄집어낼 수 있도록 옆에서 묵묵히 인내하며 기다려 주십시오.

조금 더 성장해 나가며, 홀로 판단하고 결정할 수 있는 범위와 영역이 커져 나가면 이제 본인의 결정과 판단이 본인의 삶 뿐만이 아니라 타인의 삶과 공동체, 더 나아가 환경에까지 영향을 미칠 수 있다는 것을 일깨워주십시오. 그래서 자기주도적인 주체적 삶은 스스로의 삶은 물론 타인의 삶에 대해서도 책임의식을 가져야 하는 것임을 깨닫게 해주셔야 합니다. 본인 스스로가 성인(聖人)이 될 수 있도록 몸을 닦아야 함과 동시에 이웃의 삶에 관심을 가지고, 조금 더 많은 사람들이 함께 성인이 될 수 있도록 더 큰 수레(大乘)를 만들고, 천지의 올바른 운행이 이뤄질 수 있도록 노심초사(勞心焦思)하는 '우환의식'(憂患意識)을 가질 수 있는 진정한 의미의 성인(成人)이 될 수 있도록 키워 주셨으면 합니다.

일곱째. 아이의 호기심을 최선을 다해 충족시켜 주시고 자극해주세요. 아이들의 엉뚱한 질문과 발랄한 상상을 가벼이 흘려버리거나 무시하지 마시고 최대한 관심을 기울여 들어주시고 그 질문의 해답을 찾기 위해 같이 노력해주세요. 정답을 못 찾아도 좋습니다. 이러한 부모님의 노력 자체가 아이들에게 배움과 앎에 대한 굉장히 귀중한 재료가 될 것입니다. 아이들의 두뇌는 호기심을 느낄 때, 그리고 그 호기심을 해결하기 위해 스스로에게 질문을 하며 답을 찾는 과정에서 집중적으로 발달합니다.

아이들이 사물에 대해서, 사람에 대해서, 그리고 자연현상과 특정한 사건에 대해서 갖는 호기심은 굉장히 소중한 교육의 기회입니다. 그리고 이 호기심을 평생 동안 유지시키는 것이 교육과 배움의 본질에 다름 아닙니다. 그렇기에 아이들이 사물과 사람, 그리고 이 두 요소가 어우러져 만들어지는 사건(Event)에 대해, 그리고 자연현상(Natural Phenomenon)에 대해 호기심을 보일 때마다 그 호기심 자체에 칭찬을 해주시고, 또 그 답을 찾는 과정을 독려해주십시오. 인간이 가진 인지능력의 한계상 자연현상과 사건에 대한 명확한 인과관계와 정답을 찾아내기란 불가능할지 모릅니다. 하지만 인간의 상상력과, 호기심을 채우기 위한 인간의 지적인 활동은 늘 인류의 역사에 커다란 선물을 내려주었습니다.

아이들이 갖고 있는 엉뚱한 호기심과 기발한 상상력이 억압받는 사회는 더 이상 발전의 가능성이 없습니다. 늘 이들의 호기심과 상상력이 적절한 피드백을 받을 수 있는, 그리고 더더욱 자극받을 수 있는 환경을 만들어주십시오. 아이가 자라나면서 경험하게 되는 세계의 다양한 사건과 현상들에 대해서 백번 천번 반복해서 알려주고, 여기서 더 많은 궁금함이 파생될 수 있도록 아이의 호기심을 지속적으로 자극해줄 수 있는 끝없는 인내심을 발휘해줄 수 있는 사람은 부모밖에 없습니다.

제 아들은 아주 어릴 때부터 궁금한 것이 참 많았습니다. 물론 지금도 현재진행형이구요^^;; 그 작은 머리에 뭐가 그리 궁금한 것이 많이 들어있는지 하루 종일 끊임없이 이건 무엇인지, 저건 무엇인지, 이건 왜 이렇게 되는 것인지, 그땐 이렇게 얘기해 놓고 지금은 왜 다르게 얘기하는지, 정말 끊임없이 물어보았습니다. 어떤 질문은 실제로 열 번 넘게 반복해서 물어보는 것도 있었고 어떤 질문은 꽤 무례해서 사회 생활할 때 조심해야 되는 성질의 질문들도 있었고 또 어떤 것은 굉장히 대답하기 곤혹스럽고 곤란한 것도 있었고, 어떤 것은 실제로 제가 모르는 것에 대한 질문도 많았습니다.

또 많은 경우 질문의 문법과 문맥이 맞지 않거나 상황과 관계없는 뜬금없는 물음이라[61] 실제로 우리 아들이 어떤 것을 알고 싶어하는지

---

[61] 그 상황에서는 뜬금없다고 느꼈지만 그 당시의 상황을 곰곰이 반추해보면 뜬금없어 보이는 그 주제가 제 아들에게는 분명 어떤 매개 고리를 가지고 연결되어 있었던 것 같습니다. 그 상황의 무언가가 아이의 특정한 경험, 기억들을 건드린 것이지요. 제 아들의 성격과 성향, 감정과 기질에 대한 이해가 커질수록 아들이 하는 행동에 대해 더욱더 많은 것들이 보이고 더 많은 공감이 가능해졌습니다. 제가 불민(不敏)하지만 늘 일상의 배움을 귀하게 여기는 사람이긴 합니다. 그런 제가 세상 그 어떤 것보다 제 아들을 서툴게 키워오는 과정에서 배워온 것이 더 많았습니다. 역시 부모는 자식을 키우면서 스스로 완성이 되어가는 것 같습니다. 저와 제 아내 역시 아이를 난생 처음 길러보는 부모 인지라 과거에도, 그리고 앞으로도 계속 많은 실수와 시행착오를 할 것이고, 또 많은 경우 아이의 마음에 상처를 주는 경우도 있겠지만 두렵지는 않습니다. 아이에 대한 진정한 사랑만 있다면 우리 앞에 놓인 크고 작은 난관을 헤쳐 나갈 지혜와 용기는 반드시 생겨날 테니까요.

제가 이해하기 어려운 경우도 많았습니다. 한마디로 성인들 간의 대화라고 가정했을 경우 대부분 귀찮고 피곤한 질문들 투성이지요.^^;; 사실 정신없이 바쁜 하루 일과를 마치고 퇴근을 한 저에게 쉽지는 않은 일이었습니다. 하지만 하루 종일 아이와 함께 씨름하느라 에너지가 방전된 제 아내의 등뒤에 숨을 수는 없는 노릇입니다. 더구나 하루 종일 아빠가 오기만을 기다린 우리 아들이 사슴 같은 눈망울을 하고 '아빠'하고 애교 가득한 웃음을 지으며 와락 안겨오는데 이것을 어떻게 모르는 척 하겠습니까.^^

그래서 스스로 원칙을 세웠습니다. 그 어떤 엉뚱한 질문들이나 반복되는 질문들도 최선을 다해서 답변을 해주되 몇 가지 예외를 두었습니다. 첫째, 제 몸과 마음의 상태 상 친절하고 자세한 답변이 어려울 경우는 아들에게 제 상태를 설명하고 양해를 구했습니다. 둘째, 무례하고 공격적인 질문을 받을 경우 이런 질문이 어떤 의미에서 옳지 않은지에 대해서 설명해준 후 답변을 거부하기도 합니다. 셋째, 문법과 문맥이 맞지 않는 질문을 할 경우, 그 질문의 진의를 파악한 후 올바른 문법으로 교정하여 '딱 한번만' 알려줍니다. 반복해서 두 번은 안 알려줍니다만, 다음에 또 물어보면 그때도 또 '한번만' 알려줍니다. 그러면 비슷한 실수를 한 두 번 더하더니 대개 스스로 올바른 방법으로 질문을 하더라구요. 넷째, 제가 확실하게 알지 못하는 것을 물어볼 때는 일단 이것이 정답이 아니라 아빠의 '추측'임을 분명히 말해주고 나서 알려줍니다. 그리고 아빠가 왜 그렇게 '추측'했는지에 대해서 그

근거와 추론 과정을 아이들의 언어로 변환하여[62] 간단히 함께 알려줍니다. 만약 제 아들의 물음이 저에게 관심 없는 주제라면 그 정도로 마무리하고 추가적인 것은 혼자 알아보도록 유도합니다. 만약 그 물음이 저의 흥미를 끄는 주제라면 아들과 함께 서재에 올라가서 관련된 책들을 뒤져보며 같이 더 알아보거나 제가 별도로 웹서핑을 해서 그 결과를 아들에게 전달해주기도 합니다.

 다만 질문에 답을 해주는 과정에서 모든 것을 쉽게 다 던져주지는 않습니다. 제 아들이 대화의 수동적인 청취자(Listener)가 아닌 능동적인 참여자(Participant)가 되도록 대화를 이끌어가려고 합니다. 약간의 힌트를 던져주고 본인의 힘으로 다음 단계를 상상하고 추론할 수 있도록 잠시 기다립니다. 저의 의도대로 따라올 때도 있고 그렇지 않을 때도 있습니다. 하지만 매사 모든 질문에 대해 소크라테스의 '산파술'식 대화를 하지는 않습니다. 사실 이건 듣는 입장에서는 무척 피곤하고 짜증날 수 있는 대화법이거든요^^;; 따라서 상황의 미묘한 분위기를 감지해가며 대화를 이끌어 나가는 것이 중요합니다. '산파술'식 대화만 고집하다가는 아이가 부모님과의 대화를 피하게 되는 상황이 올지도 모르니 너무 과하게는 하지 말아 주세요. 소크라테스가 괜히 그리스 시민들의 분노를 얻게 된 것이 아닙니다.^^;;

 여덟째. 배우자를 존중하고 사랑하세요. 아이들에게 가장 좋은 교육환경은 즐거운 가정환경을 만드는 것입니다. 그리고 그 즐거운 가정

---

[62] 이 부분이 아직도 저에게는 매우 어려운 일입니다. 요즘엔 아들이 좀 크기도 했겠다, 저도 좀 귀찮기도 하겠다 해서 어른의 언어로 바로 알려주는 경우가 많은데, 사실 제 기대 이상으로 잘 알아듣는 것 같아서 놀랄 때가 많습니다.

환경의 첫번째 조건은 부부간의 사랑과 존중입니다. 요즘 아이를 키우는 가정을 살펴보면 가정이 부부 위주가 아니라 아이 위주로 돌아간다는 느낌을 받습니다. 하지만 가정은 어디까지나 어른인 부모님들이 구심점이 되어 주어야 합니다. 아이들은 부모에게 더 없이 중요한 존재이지만 가정의 모든 우선순위가 아이들에게 맞춰지는 것은 바람직하지 않습니다.

아이의 욕구와 바람 못지 않게 어른들의 욕구와 바람도 중요한 법입니다. 하지만 요즘 부모님들을 보고 있노라면 모든 초점이 아이들에게 맞춰져 있어서 배우자에 대한 관심과 배려가 없는 경우가 많아 보입니다. 그러지 말아 주세요. 같이 낳은 아이라지만 배우자가 내가 아닌 아이에게만 모든 관심을 쏟게 된다면 배우자는 서운할 수밖에 없습니다. 가정생활과 결혼생활의 출발점은 아이가 아니라 부부입니다. 시작점이 튼튼해야 그 다음의 전개가 건강해지는 법입니다. 배우자에 대한 존중과 사랑없이 아이가 잘 크리라고 기대하기는 힘듭니다.

아직도 생생히 기억이 납니다만, 제가 어릴 때 가장 힘들고 고통스러웠던 순간은 제가 직접적으로 혼나는 것보다 부모님들이 서로 싸우던 때였습니다. 아이들은 부모님들이 서로에게 하는 행동과 말투를 보면서 이성을 대하는 기본적인 자세를 배우게 됩니다. 아이들이 커가면서 이성에게 따스하고 매력 넘치는 행동을 할 수 있기를 원하신다면 그 표본을 매순간 가정에서 직접 보여주십시오. 아이를 위해서도 그렇지만 부모님들의 개인적인 행복한 삶을 위해서도 배우자와의 관계는 그 무엇과도 비교할 수 없을 정도로 중요합니다. 극단적으로 말한다면 아이에게 아무리 좋은 교육환경을 제공해 주어도 부부 사이가 안 좋다면 아이는 똑바로 자라지 못할 것이며 배우자들끼리의 사랑과 존중이 넘친다면 아이에게 별다른 신경을 쓰지 않는다 해도 아이는 잘 자라날 것입니다.

아홉째. 가정 내 'Digital Distancing'(디지털과의 거리두기)을 준수해주세요. 이미 건강한 사회를 만들기 위한 첫번째 조건에서도 말씀드렸지만, 부모님을 위한 제언에서도 또 추가할게요. 그만큼 중요합니다. 특히 자라나는 아이들이 있는 가정에서는 말이지요. 아직 발달 중인 아이들의 인지능력과 감정 시스템을 혼란스러운 디지털 코드로 더럽히지 말아 주세요. 많은 부모님들이 집에서 24시간 손에 핸드폰을 쥐고 있으면서 아이들에게 핸드폰 게임을 그만하라고 소리치는 것은 굉장히 모순적인 행동입니다. 아이들이 디지털에서 떨어져 있기를 원한다면 부모님들부터 집에서 'Digital Distancing'을 실천하셔야 합니다. 사실 가정에서도 현실적으로는 모든 디지털 기기로부터 완전히 떨어져 있기가 쉽지 않습니다. 처음부터 너무 무리한 목표를 세우면 오히려 약간의 진전도 이루기 힘들 수 있습니다.

우선은 달성 가능한 작은 목표에서부터 조금씩 조금씩 'Digital Distancing'의 수준을 높여보면 좋겠습니다. 최소한 식사시간 동안에라도 모든 가족 구성원이 핸드폰에 손을 대지 않는 것을 실천해 보시지요. 그리고 쉴 때 누워서 핸드폰 보는 시간을 의식적으로 하루에 10분씩만이라도 줄여보는 겁니다. 가정에서 각자 'Digital Free Time'(디지털 기기를 이용하지 않는 시간)을 지정해 두고 그 시간 동안에는 모든 가족구성원들이 일체의 디지털 기기를 접하지 않는 것도 좋은 방법입니다. 그 시간에 가족들이 거실에 나란히 둘러 앉아서 하루 동안에 일어났던 이야기들을 나누거나 보드게임을 하거나 혹은 책을 보는 겁니다. 집 근처로 잠시 산책을 나가거나 간단히 홈트레이닝을 해보는 것도 좋습니다. 단 이때도 호주머니에 핸드폰을 넣고 가지 마시구요. 모바일 앱으로 운동량과 심박수 등을 실시간으로 체크 하는 것도 멈추시구요.

가정 내 'Digital Free Time'은 10분도 좋고 20분도 좋습니다. 지정해둔 'Digital Free Time'이 끝나면 다시 디지털 기기를 사용하셔도 좋습니다. 다만 이런 주기적인 'Distancing'이 습관화되면 디지털 의존성에 대한 경각심을 점차 키우면서 디지털 중독에서 빠져나오는 계기가 될 것입니다. 그리고 'Digital Free Time'을 과거의 10분보다 더 길게끔 조금씩 늘려나가는 거지요. 그렇게 된다면 그때는 내가 디지털에 의존하는 것이 아닌 내가 디지털을 이용하는 건강한 디지털 활용 습관이 몸에 붙게 될 것입니다. 이렇게 부모님이 먼저 디지털에서 탈피하려고 노력하는 모습을 보여주시면서 아이들에게도 'Digital Distancing'에 동참할 것을 요청해주세요.

열째. 부모님께서 늘 배움을 실천하세요. 배움은 교육의 도움을 받고, 교육은 다시 배움을 돌아봅니다. 아이들에게 훌륭한 교육을 제공해주기 위해서 부모는 늘 배워야 합니다. 그리고 부모가 스스로 배우는 모습을 아이들에게 보여주는 모습 자체가 매우 훌륭한 교육입니다. 손에서 디지털 기기를 내려놓고 대신 책이나 도구를 들어주십시오. 부모님 손에 들려 있는 책이나 가정용 공구가 백마디의 말보다 더 훌륭한 교육 효과를 낼 것입니다. 아이들은 부모님의 말을 듣고 따라하지 않습니다. 다만 부모님들의 행동을 보고 배울 뿐입니다.

부모님들의 건강하고 의미 있는 삶을 위해서도, 아이들의 배움을 자극하기 위해서라도 늘 배우십시오. 그 배움의 대상이 학문이어도 좋고, 코바늘 뜨기라도 좋고 운동이라도 좋고, 새로운 요리 방법이라도 좋고, 목공이나 기계 수리라도 좋습니다. 무언가 새로운 것에 도전한다는 것은 그 자체만으로도 사람에게 더할 수 없이 큰 의욕과 활력을 제공합니다. 그리고 그 배움을 반복하고 숙달해가는 과정에서 얻게 되는 성취감은 그 어떤 디지털 기기가 제공하는 단기적인 쾌락보다 더 묵직하고 충만한 즐거움을 줍니다.

'콩 심은 데 콩 나고 팥 심은 데 팥 난다.'는 말이 있습니다. 아이들이 어떤 행동을 하기를 원하실 경우 그것을 말로 시키지 마시고 몸으로 보여주십시오. 아이들이 공부를 하기를 원한다면 "공부해, 공부해, 제발 공부해~"라고 하루 종일 습관적으로 내뱉듯이 말씀하지 마시고 스스로 공부를 한번 시작해보세요. 그러고 나서 아이들에게 공부를 한번 해보는 게 어떨까 하고 접근해보십시오. 물론 처음에는 이것이 쉽게 안 먹힐 수도 있지만 시간을 두고 천천히, 강요하지 않고 부드럽게, 부모님이 스스로 모범을 보이면서 자상하게 접근해 본다면 결국 아이들은 부모의 행동을 따라할 것입니다.

아이들이 친구들과 다투지 않고 잘 지내기를 원하신다면 우선 부모님께서 배우자와 잘 지내는 모습을 보여주십시오. 배우자의 성향과 하고자 하는 바를 존중하고, 의견이 충돌할 경우 양보와 타협을 통해 해결하는 모습을 보여주신다면 우리 아이들은 친구들과 사이좋게 지내며 올바른 사회성을 익힐 수 있을 것입니다. 이를 위해서라도 부모님은 배워야 합니다. 배우자의 마음을 이해하고 왜 그런 상황에서 그런 행동을 하는지 알기 위하여 배우자의 성향과 기쁨, 상처와 자존심, 열등감을 두루 파악하셔야 합니다. 물론 이는 매우 사적이며 보호 본능이 강한 영역이지만 세상에서 단 한사람, 배우자만은 나의 이런 지극히 사적인 영역에 어느 정도 들어올 수 있을 정도로 허용해 주어야 합니다. 아마도 배우자의 어원은 배우자의 성격과 성향을 열심히 '배우자'라는 데서 나온 게 아닐까요?^^;;

이상 이 땅의 부모님들께 제언 드리고 싶은 10가지 내용들을 말씀 드렸습니다. 큰 차원에서는 인류의 진보를 위해, 작은 차원에서는 우리 자식들의 더 행복한 삶을 위하여 저의 이 간절한 제언이 각 가정마다 받아들여지기를 기원해봅니다. 그리고 더 나아가 저의 제언보다 더 훌륭하고 올바른 방법을 각 가정이 스스로 찾아내어서 지덕체를 고루 갖춘 더욱 진보된 다음 세대가 우리 세대를 추월해 가기를 기쁜 마음으로 기대해 봅니다.

맺는 말 : 관종의 사회학

지금까지 '관종'이라는 이 시대의 특징적인 한 단면을 통해서 다양한 사회적인 함의들을 살펴보았습니다. 우리가 만약 충분히 사려 깊고 세밀한 마음으로 무엇인가를 바라본다면, 그 어떠한 사물이나 사건을 통해서도 우리는 참으로 많은 것을 배울 수 있을 것입니다. '관종'이라는 하나의 사회적인 현상도 마찬가지입니다. 이것을 피상적으로 별 의미 없이 바라본다면 '관종' 행위는 그저 일부 사회부적응자들의 이해하기도 어렵고 수용하기도 어려운 눈살 찌푸려지는 행동들로 치부되어 딱 그 정도 수준으로 해석됩니다.

하지만 '관종'이라는 행위 자체에 조금 더 사려 깊은 관찰을 시도해 보고 '관종'인 사람들에게도 더 따스한 애정을 가지고 이들을 지켜본다면 우리는 여기서 우리 사회와 문명이 가지고 있는 구조적인 문제점들을 발견할 수 있고, 그러한 결함들을 조기에 개선하여 조금 더 나은, 지속 가능한 문명을 건설할 수 있는 중요한 단서를 얻게 될 것입니다. 이러한 현상들을 그저 일부 '이상한' 사람들의 이해하기 힘든 행위라고 단정지어 버리고 더 이상의 탐색을 멈춰버리는 순간 현상에 대한 우리의 인식 범위는 딱 거기까지로 제한됩니다. 그래서 이러한 행동을 하는 이들을 정상적인 사회의 구성원으로 받아들이기를 거부하고 더 나아가 조직 내에서, 사회 내에서 조금씩 배제하기 시작한다면 이는 우리 사회 전체에 부정적인 영향을 미치게 될 것입니다. 왜냐하면 더 이상 '관종'은 우리가 과거에 광인(狂人)이나 반골(叛骨)들을 폭력적으로 사회에서 격리시켜 내듯이 손쉽게 걸러낼 수 있는 성질의 문제가 아니기 때문이지요.

광인이나 반골의 문제는 어느 정도까지는 사회적인 문제를 함축하고 있습니다만 역사를 돌이켜 보면 대체로 문제가 있는 개별적인 영역으로 치부하는 경향이 강했습니다. 그리고 그 대상 집단 자체가 굉장히 적었기 때문에 이들에 대한 격리가 사회의 집단적인 반발을 불러오지는 않았습니다. 하지만 '관종'의 경우는 개인 차원의 요인보다는 사회적인 요인이 훨씬 더 강하게 작용하고 있습니다. 선천적인 타고남의 문제보다 우리가 살아가는 사회의 환경과 구조에 의해 '길러지는' 측면이 강하거든요. 더욱이 강도와 빈도의 차이가 있을 뿐 '관종'에 속하는 사람의 숫자는 과거의 광인이나 반골의 숫자에 비해 훨씬 많고 앞으로도 점점 더 늘어날 것 같습니다. 그렇기에 이를 과거에 우리가 광인이나 반골들에게 해왔던 것처럼 단순한 개인의 문제로 치부하고 이 문제의 심각성을 외면해버릴 경우 심각한 사회적인 병폐를 가져올 수 있습니다.

일본의 '히키코모리'[63]와 같은 현상들 역시 비슷한 맥락입니다. 히키코모리 현상이 지속적으로 그 범위를 넓혀가며 발생한다는 것은 일부 개개인의 문제라기보다는 이러한 현상을 유발하는 일본이 가지고

---

[63] 1970년대부터 일본에 나타나기 시작한 은둔형 외톨이들을 지칭하는 단어입니다. 사회생활에 잘 적응하지 못하고 집안에만 틀어박혀 사는 사람들을 가리킵니다.

있는 특유의 구조적인 문제라고 볼 수 밖에 없습니다. 히키코모리가 늘어나면서 일본의 사회는 점점 내적인 활력과 국가적인 경쟁력을 잃어가고 있으며 음울한 패배주의와 세기말적 분위기가 팽배해지고 있습니다. 어쩌면 이미 인과관계가 뒤섞여 버려서 이러한 분위기 때문에 히키코모리가 늘어나는 것인지도 모르겠습니다. 사실 '관종'의 관점에서 바라보자면 '관종'과 히키코모리는 원인은 동일하되 그 결과는 반대 방향으로 분출되는 이란성 쌍둥이와 같습니다. 동일한 결핍이 원인이지만, 그 결핍을 해소하기 위한 몸짓이 하나는 지극히 과장된 채로 나타나고 다른 하나는 그 결핍을 타인에게서 더 갈구하는 것을 아예 포기해버렸기에 사회와의 관계를 완전히 단절하고 안으로 파고 들어가는 방식으로 표출되는 것이지요.

제가 '라이크를 부르는 심리'를 집필하게 된 이유는 현재 우리 사회의 문화 코드를 관통하는 '관종'이라는 현상을 개인의 문제가 아닌 사회적 차원의 문제로 환원시키고자 하는데 있습니다. 개인의 문제라면 이는 당사자가 스스로 풀어나가야 하는 문제입니다만, 이것이 만약 사회적인 문제라면 개개인의 의지나 노력과는 무관하게 구조적으로 결정지어지는 부분이 분명히 있습니다. 그래서 그 지점을 정확히 짚어 보고 이에 대한 사회적인 솔루션을 제공해 보고 싶었습니다. 그래서 지금까지 이 책에서는 '관종'의 발생 원인에 대하여 다양한 방면의 접근을 시도하였습니다.

우선 '관종'의 생물학적인 요인을 살펴보았습니다. 그리고 생물학적인 요인과는 오히려 반대로 움직이는 역선택의 문제도 다루어 보았지요. 두번째로는 정서적 차원의 문제를 다루어 보았고 좀 더 구체적으로는 '협업'과 '놀이'라는 행위를 통하여 사람들이 정서적으로 서로 연결되고 싶어하는 이유를 살펴보았습니다. 이어서 세번째로는 생물학적, 정서적인 차원을 벗어난 경제학적인 요인에 대해서 살펴보았고 구체적으로는 '관종' 컨텐츠가 생산, 유통, 소비되는 산업 생태계를 들여다본 후 이것이 계속해서 확대재생산 되는 과정을 확인하였습니다. 네번째로는 '관종' 현상을 자극하는 디지털 문명에 대해서 살펴보았고 이에 따른 음울한 미래의 도래 가능성도 예측해보았습니다. 그리고 이러한 문명의 역진을 방지하기 위해 첫째, 건강한 사회의 6가지 조건을 살펴보았고, 둘째 이러한 사회를 만들기 위한 제언('Digital Distancing'과 부모님들을 위한 10가지 제언)을 독자님들에게 전달드렸습니다.

지금까지 살펴본 논의를 돌이켜 보면, 인성(人性)을 지닌 인간의 속성상 우리가 서로에게 관심을 갈구하는 것은 생물학적으로나 정서적으로 지극히 정상적인 삶의 방식입니다. 다만 이렇게 관심을 갈구하는 행위에 특정한 결핍이나 과잉이 있을 때, 혹은 관심을 받고자 하는 욕구가 우리가 살아가는 산업 환경에 의해 왜곡될 경우 매우 비정상적인 방식으로 표출되는 것을 볼 수 있었습니다. 더욱이 이러한 현상이 디지털 환경과 맞물려서 상황이 더욱 급속하게 악화되어가는 것도 확인할 수 있었지요.

이런 '관종'의 부정적인 측면을 해결하기 위한 저의 제안은 결국 인간이 다시 인간과 연결되는 것이었습니다. 그래서 그 인간들 간의 관계(人間 : 인간과 인간 사이)에 대한 기본적인 정체성을 정해주는 부모와 자식의 이상적인 관계를 형성해 나가는 것에 가장 큰 방점을 두었습니다. 이러한 과정을 통해 저는 '관종'이라는 사회적인 현상을 긍정적으로 개선해 나갈 수 있는 방법을 육아와 교육에서 찾게 되었습니다. 그리고 이 육아와 교육을 가장 잘 수행해줄 수 있는 주체는 선생님도, 베이비 시터도, 공공기관도, 조부모도 아닌 아이들의 '부모님'이라는 것을 강조하게 되었구요.

지금 이 문명의 갈림길에서 부모의 의미와 역할을 다시 한번 재정립하며 더 나은 문명으로의 도약을 위해 저는 '부모님을 위한 10가지 제언'을 전달 드렸습니다. 우리의 이 소중한 다음 세대의 주인공들이 영유아기에는 부모님으로부터 충분한 보살핌과 애정을 받으며 성장하게 되고, 유소년기에는 적절하고 올바른 가정 교육을 받게 되어 더 이상 신체적으로, 정서적으로 결핍이나 과잉이 없도록 말이지요. 이렇게 건강하게 큰 아이들은 스스로에 대한 자기 통제력을 익히게 될 것이기에 디지털에 대한 과도한 의존을 떨쳐내고 디지털을 삶의 한 도구로서 현명하게 활용하는 방법을 배우게 될 것입니다. 그렇게 이들이 건강하게 자라나서 감정적으로 결핍되지도, 과잉되지도, 왜곡되지도 않은 건전한 마음의 평정 상태를 유지하며 스스로에 대한 단단한 자존감을 형성해 나가기를 간절히 기원해봅니다.

제가 인류 발전의 원동력을 아직 성년이 되지 않은 아이들에 대한 교육(큰 차원에서 육아를 포함합니다.)에서 찾는 이유는 아래와 같습니다. 첫째, 발전이라 함은 지금의 상황보다 미래의 상황이 더 나아진다는 것을 의미합니다. 그렇기에 인류 문명 차원에서 조망해볼 경우, 현 세대의 상황보다 미래의 세대가 처하게 될 상황에 주목하는 것이 당연합니다. 둘째, 현재 세대이건 미래의 세대이건 우리가 발전을 하기 위해서는 교육과 배움은 반드시 필요합니다. 다만 교육과 배움의 효과는 다른 모든 조건이 모두 동일하다고 가정했을 경우, 나이가 어리면 어릴수록 더 큰 위력을 발휘합니다. 그렇기에 동일한 에너지를 교육에 투입할 경우 그 교육의 대상이 어릴수록 더 높은 효율성을 가져올 수 있습니다. 다시 한번 말씀 드리지만 자연의 법칙은 자원의 낭비를 싫어합니다. 그렇기에 저는 어른들의 교육도 중요하지만 아이들의 교육에 조금 더 많은 가중치를 두어야한다고 생각합니다.[64]

다만, 이러한 활동을 현실 세계에 구현하는 일은 아이들이 할 수 있는 일이 아니라 우리 어른들이 주도적으로 이끌어 나가야 하는 과정입니다. 이 지점이 바로 우리 어른들의 단합된 의지가 집중적으로 필요한 부분입니다. 특히 지금 현재 어린 아이들을 키우는 우리 부모님들이 말이지요.

분명 처음 집필할 때는 '관종'이라는 사회적 현상에 대한 사회학적 분석을 염두에 두고 시작했습니다만, 여기서 파생하는 문제점들에 대한 대안을 찾다 보니 점점 육아와 교육에 초점을 맞춰가게 되었습니

---

[64] 공자님께서 저의 이 발언을 들으면 어떻게 반응하실 지 상상해보았습니다. 죽는 순간까지 평생학문을 익히는 것을 삶의 목적이자 목표로 삼으셨던 호학(好學)의 대명사인 공자님께서는 이 말을 듣고 화를 내실까요? 수긍을 하실까요? 아마 미시적인 개개인의 배움 차원에서는 불같이 화를 내시고, 거시적인 문명의 차원에서는 수긍을 하시지 않을까 홀로 상상을 해봅니다. 결국 사람의 판단은 처해 있는 환경과 입장, 그리고 세상을 바라보는 관점에 따라 바뀌게 되지 않나 싶습니다.

다. 아무려면 어떻습니까. 고정된 진리의 좌표값을 미리 설정해두고 상황과 환경을 거기에 구겨 넣는 것 보다는 논리가 가리키는 방향대로, 진리가 가리키는 방향대로, 차오르고 순환하는 달의 움직임을 가리키는 손가락의 방향에 따라 그때 그때 내 삶의 좌표값을 수정해 나가는 것도 나쁘지는 않습니다.

흠결 없는 올바른 논리와 진리라면 그것이 왼쪽을 향하든 오른쪽을 향하든 그것이 가리키는 방향을 따라 나의 아집을 내려놓을 수 있어야 합니다. 다만 그렇게 할 수 있기 위해서는 굉장한 수준의 용기와 지혜가 필요합니다. 확증 편향을 가진 채 좋아하는 사람의 단점을 보지 못하고, 싫어하는 사람의 장점을 보지 못하는 것은 참으로 인생의 절반을 잃어버리는 것과 같습니다.

사회학을 가장한 육아 서적을 쓰다 보니 우선 저의 생활과 가정을 가장 먼저 돌아보게 되었습니다. 과연 내가 이런 말을 쓸 자격이 있나 싶은 생각도 많이 들었고, 저 역시 부족한 남편이자 아버지라는 생각을 많이 하게 되었습니다. 게다가 폭풍과 같이 밀려드는 본업을 해치우고 간신히 쉬게 되는 주말에도 시도 때도 없이 노트북을 펴고 본 저작물을 집필하는 과정에 겨드랑이를 파고 들어 제 무릎에 찰싹 달라붙어 "아빠, 또 '관종' 어쩌구 써요? 나랑은 언제 놀아요?"라고 하며 사슴 눈망울을 깜빡이는 우리 아들에게 참 미안했습니다. 독자 여러분들에게는 아이들과 정성을 다해 놀아 달라고 제언을 드리면서 '나는 무엇을 하고 있나' 라는 모순적인 상황에서 본 저작물을 집필하였습니다.

우리 아들은 제가 세상에서 가장 힘이 세고 가장 멋진 사람이라고 생각하는 것 같습니다. 그래서 그런 사람과 함께 노는 순간을 매우 자랑스러워하고 있습니다. 우리 아들이 제게 갖고 있는 이런 환상이 깨질 날도 몇 년 남지 않았겠지요. 곧 어른이 되어 아빠가 그렇게 힘이 센 사람도, 그렇게 뛰어난 사람도 아니었음을 알게 되는 날이 곧 오겠지요. 아빠 역시 현실의 냉혹함과 본인의 제한된 능력 사이에서 좌절도 하고 사람들과의 관계에서도 미숙하게 행동하기도 하는 그저 평범한 소시민임을 알게 되겠지요.

하지만 우리 아들이 제게 가지고 있는, 곧 깨어질 그 환상을 조금이라도 더 길게 유지해주고 싶은 바람은 있습니다. 그리고 그런 아빠를 가지고 있다는 자신감을 바탕으로 건강한 자존감을 키워가며 앞으로 만나게 될 수많은 다음 세대의 주역들과 건강한 관심과 애정을 주고받는 행복한 사람이 되었으면 좋겠습니다. 그러기 위해 이제 곧 노트북을 덮고 아까부터 저를 찾는 아들에게 가봐야 하겠습니다. 과도한 '관종'행위는 심신에 해로울 수 있으니, 오늘도 균형 잡힌 수준에서 관심과 애정을 지인분들과 주고 받기 바라겠습니다. 긴 글 읽어 주셔서 감사합니다.

라이크를 부르는 심리

관종현상의 톡톡튀는 분석

발행일 | 2024년 6월 10일

지은이 | 이두희
펴낸이 | 마형민
기　획 | 임수안
펴낸곳 | (주)페스트북
주　소 | 경기도 안양시 안양판교로 20
홈페이지 | festbook.co.kr

ISBN 979-11-6929-504-8 03180
값 18,000원

* (주)페스트북은 '작가중심주의'를 고수합니다. 누구나 인생의 새로운 챕터를 쓰도록 돕습니다. Creative@festbook.co.kr로 자신만의 목소리를 보내주세요.